Aminah
a minna

Aminah a minna

Gwyneth Glyn

Hoffai'r Lolfa ddiolch i:
Ffion Davies, Ysgol Plasmawr,
Rhian Lewis, Ysgol Bro Gwaun,
Dafydd Roberts, Ysgol Dyffryn Ogwen
ac Andrea Parry, Ysgol Dyffryn Conwy.
Hefyd, i holl ddisgyblion ysgolion Botwnnog, Penweddig, Bro Myrddin,
Dyffryn Conwy, Dyffryn Ogwen a Plasmawr am eu sylwadau gwerthfawr.

DILYNIANT I MEWN LIMBO

Argraffiad cyntaf: 2005
℗ Awdurdod Cymwysterau, Cwricwlwm ac Asesu Cymru, 2005

Golygyddion Pen Dafad: Alun Jones a Mared Roberts
Cynllun a llun clawr: Sion Ilar

Comisiynwyd y gyfrol gyda chymorth ariannol Awdurdod Cymwysterau,
Cwricwlwm ac Asesu Cymru

ISBN: 0 86243 742 3

Cyhoeddwyd ac argraffwyd yng Nghymru gan:
Y Lolfa Cyf., Talybont, Ceredigion SY24 5AP
e-bost ylolfa@ylolfa.com
gwefan www.ylolfa.com
ffôn +44 (0)1970 832 304
ffacs 832 782
isdn 832 813

Dydd Sadwrn, Ionawr 1af. 10:14

BLWYDDYNEWYDDAAAAAAAAAAAAAAAAAA
AAAA! *Yeah right*, mond deg awr ohoni sy 'di bod, a
dwi heb symud o 'ngwely eto. Blwyddyn pawb pan
godo, de?

Anodd credu ei bod hi'n flwyddyn newydd sbon
hefyd; dwi byth 'di cael fy mhen rownd flwyddyn
dwytha. Beryg ei bod hi'n bryd am:

Top Ten o Betha Bysÿrcs Ddigwyddodd Llynedd

10. Dad yn gadael a symud i fyw i Stoke at ddynas
arall (o'r enw Lindsey, neu *Linseed* fel ma Mam yn ei
galw hi – sef rhyw hada bach bwji melyn minging ma
hi'n eu byta bob bora. Ma nhw i fod yn betha iach ond
dwi 'di eu trio nhw a ma nhw'n afiach. Fysa well gin
i fyta gwinedd fy nhraed, fy hun.)

9. Fi'n ffrîcio a llosgi fy llyfr Cymraeg o flaen y
dosbarth (wps!)

8. Mam yn ffrîcio a llosgi petha Dad yn yr ardd gefn
(hei – *pyromania* – ma'n rhaid ei fod o'n rhedeg yn y
teulu!)

7. Y Seicolegydd Addysg wirion 'na a'i 'Dyddiadur
Disgyblu Disgybl Annisgybledig' (sef fi). Dyna sut
dechreuodd y lol sgwennu ma. Pwy fysa'n meddwl – FI!
Matthew Dyslecsic Parry, yn cadw DYDDIADUR!
Tasa rhywun 'di deud hynny wrtha i flwyddyn yn ôl,

'swn i 'di chwerthin yn eu gwyneba nhw, a phiso yn fy nhrwsus. Ma siŵr dyna fysa Sparks ac Elfs yn ei neud rŵan tasa nhw'n gwbod 'mod i'n dal i'w sgwennu fo, a finna ddim yn gorfod. Ond tydyn nhw ddim; does 'na neb yn gwbod am hwn, ddim hyd yn oed Mam.

6. Gneud y Sioe: *West Side Story* – yn Gymraeg – hefo llond y cast o ffrîcs mwya'r ysgol, a'r hogan fwya hyfryd yn y byd (mwy amdani hi wedyn) yn chwara Maria, a'r *weirdo* mwya un – Jacanori – yn ein dysgu ni.

5. Y ffaith (sy'n dal heb sincio i mewn yn iawn) bod Mam – fy Mam fy hun – y ddynes freintiedig, fwyn, gariodd fi am naw mis a fy magu i ar Farley's Rusks a'r *Flinstones* – yn FFANSÏO y *weirdo* ma (gweler rhif 6 uchod). 'Na i ddim trafod y manylion ffiaidd yn fama rŵan, rhag ofn i mi chwdu ar hyd y sgrin a difetha'r laptop newydd.

4. CAEL LAPTOP NEWYDD! Presant Dolig gin Mam; teimlo'n euog am rif 5 oedd hi, garantîd. Ond mi gymrith fwy na chompiwtar i neud iawn am hynny; mi fydd fy *street-cred* i'n rhacs jibidêrs os ceith fy mêts i yn rysgol wbod bod Mam yn mynd allan hefo ATHRO. Fysa waeth iddi fod wedi priodi'r diafol ei hun ddim! Ond 'na fo, dwi jyst yn gweddïo y bydd Jacanori'n cael digon arni hi, fel ddaru Dad, cyn i betha fynd yn rhy siriys rhyngddyn nhw.

Ddudodd Elfs mai gin y Cyngor Sir ga'th hi'r laptop – am ddim – am 'mod i'n dyslecsic, ond jyst jelys 'di o am na chafodd o ddim byd heblaw am DVD *Finding Nemo* a helmet beic ail law. Ma'r laptop newydd ma fod i fy annog i i sgwennu (neu i 'ymarfer fy sgwennu' fel ma Mam yn licio'i ddeud – fath â taswn i'n bump oed a newydd ddysgu sut ma dal pensal). Weithia dwi jyst isho sgrechian arni hi ac ar y byd: 'DYSLECSIC YDW I! NID DISYNNWYR!' ond mae'n haws sgwennu hwn na siarad hefo rhei pobol.

3. Ennill Tystysgrif Rhagoriaeth Ymdrech yn rysgol a cholli unrhyw barch oedd gen i ymysg fy ychydig ffrindia (ond o leia mi ddaru'r tocyn llyfr ceiniog-a-dima neud bresant Dolig champion i Taid!)

2. Wil Wirion yn cael ei ddal gan blisman wrth iddo fo dynnu llun bronnau ar focs ffôn hefo *permanent marker*. *CLASSIC*! Ma Sparks ac Elfs yn dal i binsio'i dethi fo nes 'i fod o'n gwichian bob tro maen nhw'n ei basio fo yn y coridor. Mi fydd yr hanes yn sdyc i Wil am byth, fath â hen *chewing-gum* caled. Ma Sparks yn dal i'w alw fo'n Wil Wonderbra yn ei wyneb.

1. Aminah. Ma'r gân 'na allan o'r sioe yn dal yn 'y mhen i – 'Maria... dwi newydd gyfarfod Maria' ond 'Aminah' dwi'n 'i glwad yn 'y mhen bob tro (a'i ganu fo'n ddistaw bach yn y bath weithia pan fydd Mam yn gwatsiad *Eastenders*). Cyfarfod Aminah – Rhif Un yn y *Top Ten* – y peth mwya bysŷrc ddigwyddodd i mi llynedd, heb os nag obadeia. Cyfarfod Aminah, siarad hefo Aminah, chwerthin hefo Aminah, actio hefo

Aminah, canu hefo Aminah, dawnsio hefo Aminah, fflyrtio hefo Aminah, dianc hefo Aminah, cuddio hefo Aminah, cusanu Aminah, cusanu Aminah eto, ac eto ac eto acetoacetoacetoaceto (ond dim ond yn 'y nychymyg a 'mreuddwydion – dwi heb ei chusanu hi go iawn… eto…)!

Damia, Mam yn gweiddi – isho i mi hwfro'r pinna bach gwyrdd dan y goeden Dolig. 'Da ni rioed 'di cael coeden Dolig go iawn o'r blaen. Un blastig fuo gynnon ni erioed, hefo eira smalio fath â dandryff drosti. Yr unig reswm cawson ni un go iawn leni ydy am fod Mam isho wawio Jacanori. Snoban! A pwy sy'n gorfod llnau dan y sguthan? Fi! A do'n i ddim hyd yn oed isho'r blincin peth! Ond 'na fo, o leia ma 'na ogla go lew arni, fath â Radox, hyd yn oed os ydy hi'n hen beth pigog (y goeden Dolig 'lly – ddim Mam – er ma'r un peth yn wir am honno).

Dydd Mawrth, Ionawr 4ydd. 22:27

— sef bron-yn-han-'di-deg-y-nos i bawb call. Blwmin cloc 24 awr awtomatig ar y laptop ma. Biti na fyswn i'n gallu ei ddarllen o'n awtomatig.

Diwrnod cynta'n ôl yn rysgol = BYMAR. Pawb hefo gwyneba tin, yn cynnwys yr athrawon (yn *enwedig* yr athrawon). Pawb yn sgint ar ôl Dolig (a'r rhai ohonon ni sy'n sgint rownd y flwyddyn hyd yn oed yn sgintiach byth) a'r genod yn bigog a *bitchy* am eu bod nhw i gyd ar ryw ddeiets gwirion ar ôl byta gormod o Quality Streets. Neb isho bod ar gyfyl y lle, neb isho gneud strocan o waith, a NEB isho cael ei ddal heb neud ei waith cartra. Diwrnod cyffredin yn rysgol felly.

Ond mi oedd 'na un berl yng nghanol y cachu; yr unig beth yn y byd fedra 'nghodi i allan o 'ngwely ar fore mor ddiawledig o oer ac annifyr: Aminah. Do'n i heb ei gweld hi ers noson y parti. Aeth hi a'i theulu i Bradford dros Dolig i aros hefo rhyw berthnasa. Ond bora ma, pan welis i hi'n camu allan o gar ei brawd, ei phlethi perffaith hi'n sgleinio'n ddu yn yr haul, mi oedd bywyd yn werth ei fyw unwaith eto (neu o leia'n werth trio'i fyw).

Mi driodd y Pyrf-athro gael yr un effaith arnan ni yn y gwasanaeth ben bora — ond nath o ddim byd heblaw gneud i ni fod isho cyflawni hunanladdiad.

'Wel, Blwyddyn Newydd Dda!' medda fo'n llawer rhy joli mewn llais-gneud diawledig o doji.

'Blwyddyn newydd, dalen newydd… llechen lân!' Ar hynny dyma 'na sŵn torri gwynt yn llenwi'r neuadd. Elfs oedd o, garantîd.

'Llechen! Llechen ddudis i!' bytheiriodd y Pyrfathro o'r llwyfan, y wên wedi diflannu a'r mwstash yn dirgrynnu. Dwi'n siŵr ei fod o wedi ei dacluso fo'n arbennig ar gyfer y tymor newydd, achos oedd ei flewiach afiach o hyd yn oed yn feinach a mwy llysnafeddog na'r arfer. Neu ella bod Santa wedi rhoi *Luxury Grooming Set for Facial Hair* iddo fo yn ei hosan, *With Special Shine Serum*. Biti na fysa fo 'di rhoi drych iddo fo hefyd, iddo fo gael gweld gymaint o brat mae o'n edrych.

'Pwy sy'n mynd i gymryd mantais o'r lechen lân yma?' medda fo'n dal i baldaruo er gwaetha rhith-rech Elfs. 'Pwy sy'n mynd i droi dalen newydd a dechrau eto?'

Oedd o'n swnio fath â rhwbath rhwng gweinidog efengylaidd a Hitler. (Ma mwstashys yn betha peryg).

'Pwy sy'n mynd i ddechra cyrraedd y dosbarth cofrestru yn brydlon bob bore?'

BE?! Pan fedrwn i fod yn treulio pum munud arall hefo'r Hogan Hardda dan Haul? *As if!*

'Pwy sy'n mynd i ymdrechu hyd yn oed yn galetach i ddisgleirio ymhob pwnc?' *Yeah right* – er mwyn i'r cena gael codi cwilydd arna i eto, o flaen yr holl ysgol, hefo tocyn llyfr am ffiffti-pî a Thystysgrif Rhagoriaeth Ymdrech Cachu Dêr? Disgleiria di dy hun, y drong!

'A phwy sydd am addunedu i newid ei agwedd leni? I fod yn gwrtais, yn gyfrifol, yn gall a gweithgar?'

Dim fi, mêt. Yr unig adduned blwyddyn newydd dwi di'i gneud ydy i beidio gneud addunedau blwyddyn newydd! Yn enwedig yr adduned i fod yn gwrtais, yn gyfrifol, yn gall a gweithgar. A hyd yn hyn dwi 'di cadw at yr adduned honno fel sant.

Ond ma gin i un adduned go iawn. Un gyfrinachol: gofyn i Aminah fynd allan hefo fi. Ma hyd yn oed ei sgwennu o'n fama 'di gneud fy nwylo fi'n sticlg a'n llwnc i'n sych. Dwi'n chwys oer i gyd jyst yn dychmygu'r peth. Beryg y bysa hi'n cael hartan taswn i'n gofyn iddi. Beryg y byswn inna'n cael hartan tasa hi'n deud 'iawn'. A beryg byswn i'n marw o dorcalon tasa hi'n deud 'na'.

1. 'Ei di allan hefo fi?'
2. 'Tisho mynd allan hefo fi?'
3. 'Fysat ti'n licio mynd allan hefo fi?'

Ma *1* yn rhy bowld; ma *2* yn blentynnaidd a *3* yn henffash. Ac ma'r tri'n swnio fath â lein allan o *teen soap*. Cwilydd. Ella bysa fo'n swnio'n well wedi'i sgwennu mewn cardyn, neu decst? Ond ella wedyn bysa hi'n meddwl 'mod i'n llo llywath, yn gachgi, ac wedyn fysa hi'm isho mynd allan hefo fi o gwbwl, na fysa? Ac eniwe does ganddi hi ddim ei ffôn ei hun, felly be fyswn i'n neud, tecstio ffôn ei brawd hi? *As if!*

Dwi 'di rhoi tan ddiwrnod Santes Dwynwen i mi fy hun i gyflawni'r adduned – sy'n rhoi tair wythnos i mi. Tair wythnos o boeni a bustachu, a wedyn i ddiawl efo pob dim yn y diwedd ma'n siŵr. Ond o leia fydd o'n rwbath i dynnu fy meddwl i oddi ar yr ysgol a dewisiadau TGAU: Tagu, Gorfodaeth, Angau, Uffern! Nos da.

– sef wedi deg – WOREFY!

Drama neithiwr – wîyrd. Dim mwy o rwtîns cymhleth a chanu a crafu pen i gofio leins. Dim sôn am Maria na Tony na'r Jets na'r Sharks; oedd o fel tasa'r sioe Dolig erioed wedi bodoli o gwbwl… tan i Wil Wirion landio hefo bocs o lunia oedd ei fam o wedi'u tynnu! Oedd hitha, fel Mam, wedi dŵad i weld y sioe deirgwaith. *Sad*. Mamau, de. Be neith rhywun hefo nhw heblaw rowlio llgada ac atgoffa'i hun bod mamau pawb arall yr un mor *embarrassing*… bron?

Mi gawson ni laff wedyn yn sbio ar y llunia – y rhan fwya, wrth gwrs, yn llunia o Wil: Wil yn dawnsio (neu'n methu dawnsio,) Wil yn blisman, Wil wedi anghofio'i linellau, Wil yn gwenu ar ôl cofio'i linellau, Wil hefo wyneb cas, Wil hefo wyneb trist, Wil yn rhoi bwnsiad mawr o floda i Jacanori ar y diwedd, a'r llun ola un oedd y gora – Wil yn cysgu fel mochyn yng nghanol y parti, hefo briwsion brechdanau wy ac olion Cherry Cola rownd ei geg agored. *Classic*!

Dyma fi'n dal llygad Aminah am eiliad. Oedd y ddau ohonan ni'n cofio'r parti ar noson ola'r sioe. Sut medran ni beidio cofio? Mi sbiodd hi i ffwrdd yn swil a chuddio tu ôl i'w gwallt du. *God* ma hi'n dlws. A does ganddi hi ddim syniad mor dlws ydy hi. Mi ddudes i wrthi yn y parti ei bod hi'n dlws, pan doedd

13

neb arall o gwmpas. Mi sbiodd hi arna i'n wirion a chwerthin, ac mi oedd hi'n dlysach byth. Oeddan ni ar fin cusanu. O'n i'n gwbod achos oedd ein penna ni'n symud yn nes ac yn nes, a phob dim yn arafu heblaw 'nghalon i oedd yn mynd fath â milgi, a dyma'i llgada hi'n dechra cau a dyma finna'n hanner cau fy rhei inna nes oedd pob dim yn blŷri, ac o'n i'n gallu teimlo gwres ei gwefusa hi'n gwenu filimedrau o fy rhei i... a dyna pryd sylweddolais i bod ei brawd hi'n sbio arnan ni. Dyma fi'n ei gollwng hi fel tasa hi ar dân (ac mi *roedd* hi ar dân tan i'r cenna daflu dŵr oer ar betha!) Ond ddaru o ddim bod yn annifyr chwaith, dim ond gwenu, rhoi ei ddwylo ym mhoced ei gôt, tynnu goriadau'r car allan a'u janglo nhw'n uchel. Mi ddilynodd Aminah fo fel ci bach ufudd.

Pan ddechreuodd Wil fynd drwy'r llunia am y trydydd tro neithiwr, dyma Jacanori'n cyflwyno'r hogan newydd ma i bawb – Linwen. Newydd symud i fyw i'r ardal ma hi, o'r de, dwi'm yn cofio o lle'n union, Aber-rwbath, ond yn bendant o'r de i Ddolgellau hefo acen fel 'na.

'Nes i 'whare Maria mewn cynhyrchiad o *West Side Story* blwyddyn nôl 'da Theatr Ieuenctid Cymru a ces i *reviews really* dda ond o'dd 'da ni hyfforddwraig briliant o Lunden a chynllunydd set a gwisgoedd teidi a popeth,' medda hi gan fflachio rhes o ddannedd gwynion atan ni. Ma'i gwallt hi'n syth bin fath â procar, fath â tasa 'na rywun wedi'i beintio fo ar ei phen hi. A ma'i haelia hi'n fain, fain, fel tasa'r un person wedi peintio rheiny ar ei thalcen hi. Ma hi'n edrych fath â dol. Dol sy'n gallu siarad. Dol sy'n gallu siarad a siarad a siarad. Oedd hi'n hyderus iawn o feddwl 'na 'mond newydd symud yma ma hi, a'i bod hi'n nabod diawl o neb. Dyna ma actio'n neud i rywun, am wn i.

Eniwe, ar ôl y clwb drama mi afaeles i yn llaw Aminah a'i chwipio hi rownd y gornel cyn i'w brawd ei gweld hi. Oedd ei gwên hi fel gwawr gôjys.

'Ei di... ' do'n i methu.

'Ddoi di... ' methu 'i ddeud o – *shit*.

'Aminah, ddoi di... ' O'n i isho marw o gwilydd. Ma'n rhaid 'mod i'n swnio fath â'r gerdd grinji-gachlyd 'na:

> 'Ddoi di gen i?
> Ddoi di gen i?
> Gwn y doi!'

Anghenion Arbennig? Dach chi'n deud wrtha i! O'n i 'di clwad am *verbal diarrhoea* ond do'n i rioed wedi diodda ohono fo tan rwân. Dwi 'di bod yn rhwym mewn sgwrs droeon – dim byd yn dod allan – ond oedd hyn yn waeth; o'n i'n teimlo fel prat bob tro ro'n i'n agor 'y ngheg, a bob tro o'n i'n agor 'y ngheg a gneud prat o'n hun, lleia yn y byd o jans oedd 'na y bysa hi'n deud iawn.

'Ia?' medda hi. Mi gymrais i anadl anferthol fath â taswn i ar fin plymio i ddyfnderoedd pwll diwaelod (sef yn union be o'n i ar fin ei neud am wn i).

'Ddoi di i'r pictiwrs hefo fi nos Sadwrn?' Ee?! Ddim dyna o'n i isho'i ddeud, ond dyna ddoth allan – o leia oedd o'n well na dim byd, ac ma'n rhaid ei bod hi'n dallt be ddudes i achos mi atebodd hi'n syth.

'Fedra i ddim.'

'Nos Wener ta?'

'Na.'

'Wsnos nesa?' meddwn i'n obeithiol – achos weithia ma genod yn gneud rhwbath o'r enw *'playing-hard-to-get'*, sef smalio nad oes ganddyn nhw ddiddordeb ynoch chi, er bod ganddyn nhw ddiddordeb go iawn, rhag ofn iddyn nhw swnio'n desbret, achos fysa neb ar y ddaear ma isho mynd allan hefo rhywun desbret, nafysa?

'Wsnos wedyn ta?' meddwn i'n desbret; doedd ddim ots gin i erbyn hyn.

Oedd hi ar fin ateb pan ganodd y corn car cyfarwydd. Ei brawd hi. Y diawl!

Felly dwi'n dal ddim yn gwbod. Ddim yn gwbod p'run a eith hi allan hefo fi i'r pictiwrs, heb sôn am wbod p'run a eith hi allan hefo fi *go iawn*. Mewn limbo eto. Blwyddyn newydd dda – da i uffar o ddim.

NOS Llun, Ionawr 10fed

Ma Mam yn edrych fath â Dolly Parton. Aeth hi allan i'r dre ddydd Sadwrn a phan ddaeth hi'n ôl oedd ei gwallt hi 'di tyfu ddwy droedfedd a'i bronna hi wedi'u gwthio i fyny at ei gên. Heb sôn am y bŵts uchel a'r sgert gwta. Prin ro'n i'n ei nabod hi.

'Mam… wig?' oedd yr unig beth fedwrn i 'i ddeud.

'Naci siŵr!' medda hi'n flin, '*hair extensions!*'

Hair extensions, wir. *Hair extinctions* ma hi'n feddwl; petha ma gwragedd canol oed yn eu prynu pan ma nhw'n rhy hen neu'n rhy ddiog i edrych ar ôl eu gwalltia eu hunain. Ar ôl dod dros y sioc o weld Mam hefo gwallt plastig, mi sylwais ar ei liw o.

'BLOND?!' meddwn i – achos rhyw frown gola ydy lliw naturiol gwallt Mam – hynny ydy, y lliw 'naturiol' ma hi'n ei roi ynddo fo.

'Ddim blond ydy o siŵr!' medda hitha'n bigog, '*Sun-kissed Honeysuckle.*'

Ella 'mod i'n dyslecsic ond dwi'm yn *colour-blind.* Ac ella mai nid aur yw popeth melyn, ond blond 'di blond waeth be ddudith hi.

Mi ofynnodd hi i mi wedyn o'n i'n licio ei delwedd newydd hi. Dudes i wrthi y bysa hi'n ditenshyn ar hogan fysa'n gwisgo sgert mor gwta â hi yn rysgol. Mi wenodd hi'n slei bach.

'Fysa hi wiiiiiir?'

O God. O'n i'n gallu'i dychmygu hi'n defnyddio hynna fath â *chat-up-line* craplyd hefo Jacanori. Ych-a-pych!

Doth o draw acw nos Sadwrn 'i ddangos fideo o'r sioe i dy fam' – a hitha wedi bod yn y gynulleidfa dair noson ar ôl ei gilydd? *Yeah right!* Fi atebodd y drws iddo fo.

'DY-RYYYYYY!' medda fo fath â ffan-ffer a chwipio potel o win o du ôl ei gefn. Mi hitiodd ei wyneb o'r llawr pan welodd o fi.

'O... y... Matthew. Ro'n i'n meddwl dy fod ti'n mynd allan heno.'

'O'n inna hefyd. Mi fyswn i tasa gin i ddêt, ond sgin i ddim, a sgin i'm digon o bres i'w wastio fo ar fynd i'r pictiwrs ar 'y mhen fy hun, iawn?' Dyna ro'n i isho'i ddeud. Ond ddudes i ddim byd, 'mond 'Nag ydw, Syr,' bach pitw.

Es i i'n llofft i wasgu sbots a gwrando ar Kentucky AFC. 'SBIA FYNY, SBIA LAWR, CANOLBWYNTIA AR Y LLAWR, AC I'R CHWITH AC I'R DDE, EDRYCH ALLAN AR Y SÊÊÊÊÊÊÊÊÊÊÊÊR!' Nes i droi'r miwsig yn uwch a hedbangio (tan ges i gur pen) er mwyn boddi chwerthin uchel Jacanori a llais Mam yn canu allan o diwn hefo'r fideo. Cwilydd. Ma hi'n rhyw hymian a 'ffal-di-ral-io' rownd y rîl, fath â ragarug ar ddrygs.

Ma Linwen, yr hogan newydd, yn canu hefyd. Bob

munud. Ond ddim 'ffal-di-rals' – dim ond petha poplyd – Jennifer Lopez ac Elin Fflur. Dudodd Sparks wrthi heddiw am gau ei cheg. Mi atebodd hitha fo fath â bwled, mewn coblyn o acen gog dros-y-top: 'Caauuu dii dy geeeg, iaaa?!' Oedd Elfs yn gegrwth, ac oedd Wil Wirion yn gelain! Mi ga'th o benelin egr yn ei ochor gan Sparks, am chwerthin. Ma Linwen yn ffyni.

'Pwy di'r stynar newydd o'r sowth?' holodd Elfs amser brêc.

'Pam, ti'n 'i ffansîo hi neu rwbath?' medda Sparks drwy fwg ei sigaret.

'Hogan smart iawn tydy... ' medda Wil Wirion wrtho fo'i hun. A fanno fuo Sparks ac Elfs am chwarter awr wedyn yn tynnu coes Wil – gofyn pa ran ohoni oedd yn 'smart' a ballu. Ma hi'n ddel am wn i, fath â lot o genod erill, fath â pop stars a pin-ups. Ond dwi 'di sylwi'n ddiweddar bod genod del i gyd yn edrych ac yn swnio run fath â'i gilydd. Dwi'n eu gweld nhw'n aros am y bys bob bora, fath â rhes o *Barbies* hefo wyneba bwbach.

Fydd Aminah byth yn ddel; ma hi'n rhy wahanol i fod yn ddel. Ond mi fydd hi wastad yn dlws, hyd yn oed pan fydd hi'n hen ac wedi crychu fath â phrwnsan, a'i phlethi du hi'n arian. Afaeles i amdani hi'n dynn cyn cofrestru ac mi wichiodd hi'n uchel (ma ganddi hi oglais mwya ofnadwy rownd ei chanol, a dwi'n anghofio amdano fo weithia… neu'n smalio anghofio amdano fo!)

Mi ofynnodd hi oedd y ffilm yn dda nos Sadwrn. Dudes i wrthi 'mod i heb fynd.

'Paid â gadael i mi dy stopio di,' medda hi'n glên wrth godi'i bag. O'n i bron â marw isho'i chusanu hi. Dwi wastad bron â marw isho'i chusanu hi.

'Dwi isho mynd â chdi… rywbryd… ella… allan… fysa fo'n neis… ffilm neu rwbath,' – doth y geiria o 'ngheg i cyn i mi allu eu stopio nhw (na'u ffurfio nhw'n frawddeg gall – damia! – oedd y diawl deioria yn ei ôl!) Mi ddudodd hi bod yn rhaid iddi hi warchod siop ei thad gyda'r nosau (siop gornel ydy hi – 'mond 'di agor ers rhyw fis).

'Fedar dy frawd di ddim edrych ar ôl y siop?' meddwn i.

'Ma Tariq i fod i edrych ar fy ôl i,' atebodd hitha.

'Ond ti'n ddigon hen i edrych ar dy ôl dy hun!'

'Tria di ddeud hynna wrth Dad,' medda hi'n sydyn, cyn gwasgu'i gwefusa'n dynn fel tasa hi'n difaru eu hagor nhw. Dwi'n gwbod bod ei theulu hi o Bacistan, ac yn Fwslemiaid a ballu, a bod ganddyn nhw ddiwylliant gwahanol a disgwyliadau a thraddodiadau a bla bla bla, ond pobol 'di pobol, ac ma gin bawb hawl i weld eu ffrindia, siawns?

O'n i ar fin deud hyn wrthi pan ganodd y gloch. Mi aeth hitha ar ei hunion i'w gwers.

Gorfod syllu ar y Mynydd Grug wedyn – am AWR GYFA. Lyfli, jyst y peth ben bora – Cymraeg hefo draig ganoloesol sy'n chwythu tân atach chi os dach chi'n deud GAIR yn Saesneg, neu'n waeth byth, yn deud gair Cymraeg yn rong. Am olygfa hyfryd: dwy foch tin anferthol yn crynu'n afreolus wrth iddi hi wichian rhwbath hefo pin ffelt ar y bwrdd gwyn: 'Eisteddfod Ysgol! Cystadleuaeth y Goron: Darn dychmygol – rhyddiaith neu farddoniaeth – WYTHNOS I DDYDD GWENER!!!!!' 'Dan ni wastad yn cael ffrae ganddi hi am ddefnyddio mwy nag un ebychnod. Rêl athrawes – blydi rhagrithwraig!!!!!!!!

Coron Sdeddfod Ysgol. Grêt – rhwbath arall i edrych ymlaen ato fo – sgwennu crap llenyddol-barddonol-malu-cachlyd am awr gyfa heb gael yngan gair o'n pennau. Fath â sefyll arholiad, ond gwaeth, achos fydd 'na ddim cwestiynau i'n helpu ni hyd yn oed.

'W!' medda'r Mynydd Grug mewn panig wedyn, fel tasa hi newydd gofio bod y gath yn y popty. Mi sgriblodd hi rwbath arall ar y bwrdd gwyn.

THEMA: TYWYLLWCH!

Joli ddiawledig. O'n i isho crio.

Nos Ferchar, Ionawr 12fed

Steven Spielberg, dos i ganu: dwi'n cael cyfarwyddo FFILM! Yn y dosbarth drama heno, ar ôl y cnesu-i-fyny arferol a'r gemau torri'r ias gwirion, mi ddudodd Jacanori wrthan ni am gystadleuaeth newydd sbon yn sdeddfod yr ysgol.

'Tri grŵp, tri chyfarwyddwr, tair ffilm fer; y tair yn cael eu dangos yn ystod y sdeddfod, ar sgrîn fawr yn y neuadd, a'r tair yn cystadlu am y wobr fawreddog.' Wedyn mi adawodd o saib hir, hir − rêl blwmin drama cwîn.

'Beth yw'r wobr, syr?' medda Linwen fath â tasa hi mewn rhyw hysbyseb *Kinder Surprise*.

'Ugain marc i'r llys buddugol, a chael mynd ar gwrs arbennig i Gaerdydd ym mis Mawrth i gael hyfforddiant gan bobol brofiadol sy'n gweithio yn y diwydiant ffilm!'

Mi ebychodd pawb mewn rhyfeddod. Wedyn mi gododd Wil Wirion ei law.

'Syr, pwy fydd yn dewis y ffilm orau?'

'Y chi, Wiliam! Disgyblion ac athrawon yr ysgol. Mi fyddwch chi i gyd yn pleidleisio ar y diwrnod, a'r ffilm hefo'r mwya o bleidleisiau, fydd yn ennill!'

Wedyn mi ddewisodd o dri chyfarwyddwr: Fi, Llŷr Rhy-Bur, ac Aminah. Mi dyfodd Llŷr bum troedfedd smyg, ac mi ddisgleiriodd llgada Aminah fath â concyrs anferth. Ro'n inna 'di ecseitio'n lân, ac yn ofnadwy o falch drosti hi hefyd. Ond wedyn mi wawriodd arna i. Neu'n hytrach, mi ddisgynodd o arna i fath â tunnall o frics. Oedd Aminah a finna mewn grwpia gwahanol i'n gilydd. Gytud. Ar wahân eto, hyd yn oed yn y dosbarth drama. Yr unig gyfle dwi'n 'i gael i'w gweld hi'n iawn (wel, 'iawn' *as in* cael bod yn yr un stafell â hi a'i hedmygu hi o bell am fwy na deg eiliad ar goridor ysgol). A rŵan, oedd hyd yn oed y ddwyawr fach yma hefo'n gilydd; uchafbwynt fy wsnos bathetigachlyd i, wedi'i chwipio i ffwrdd oddi wrtha i fel hufen iâ dan drwyn babi.

Es i at Jacanori ar ddiwedd y dosbarth a deud wrtho fo 'mod i'm isho cyfarwyddo (oedd yn gelwydd pur achos dwi bron â thorri 'mol isho gneud, ond ta waeth). Mi roth ynta ryw hanner gwên i mi, cystal â deud ei fod o'n dallt (sef be ma athrawon yn ei neud pan nad ydyn nhw'n dallt, ond ma nhw isho ichi gredu eu bod nhw'n dallt).

'Nes i ddim dy wahanu di ac Aminah yn fwriadol, Matthew; ond gan eich bod chi mewn llysoedd ysgol gwahanol, ac mai dyna sail holl hwyl sdeddfod yr ysgol, mi oedd yn rhaid i mi.' Rhaid-shmaid, ysgol-pysgol, 'hwyl' dy nain!

Wedyn mi ddudodd o, mewn llais tawelach, 'a chan mai Aminah a chditha ydy dau o sêr y dosbarth drama, mi fydda wedi bod yn wirion bost i mi beidio â dewis y ddau ohonoch chi fel cyfarwyddwyr.'

Ee? SÊR?! Doedd 'na neb wedi 'ngalw i'n Seren ers gwasanaeth Dolig Ysgol Sul '96 (y tro cynta a'r ola yn hanes Capel Ucha i Seren Bethlem biso ar ben y Doethion. Do wir, mi nes i fy marc ar y llwyfan yn ifanc iawn).

Ond doeddwn i'm isho bod yn seren rŵan; o'n i jyst isho bod hefo Aminah. Ma hi fath â rhyw drysor disglair sy'n cael ei warchod gan ellyll milain. Pam ma 'i brawd hi wastad yn sbio arna i fath ag y dyliwn i fod 'i ofn o? Pam mae o wastad yn gwisgo rhyw edrychiad sy'n deud 'croesa di fi ac mi groesa inna chditha, mêt'?

Ddaru neb ddod i nôl Aminah heno. Mi arhosais i hefo hi tra oedd Jacanori'n diffodd y goleuadau a chloi. O'n i isho'i chusanu hi gymaint – yn fwy na dwi 'di bod isho cusanu neb arall rioed. Ddim 'mod i 'di bod isho cusanu neb arall rioed – ond eniwe, yn y diwadd mi rois i fenthyg fy ffôn symudol iddi ffonio adra. Oedd ei mam hi ar bigau'r drain – oedd ei swpar hi'n barod ers meitin. Tariq oedd wedi anghofio pob dim am fynd i'w nôl hi, ond mi weithiodd petha'n iawn achos mi roth Jacanori lifft iddi, ac mi gerddais inna adra ar fy mhen fy hun; do'n i'm ffansi lifft adra gan gariad fy Mam – fysa hynny'n rhy wiyrd.

'Indian ydyn nhw, ia?' gofynnodd Mam heno. Ddudes i wrthi mai o Bacistan oedd y teulu'n dod.

'Wel ia – India, Pacistan – ddim yr un lle 'di o dŵad?' medda hitha wedyn cyn fflicio ei gwallt-smalio-blond dros ei hysgwydd. Ma isho mynadd weithia.

NOS Wener, Ionawr 14eg

HALELIWIA – WÎCEND! Dim bod gin i uffar o
ddim byd i edrych ymlaen ato fo, heblaw gwaith
cartra, rybish ar y bocs a Mam yn ffal-di-ralio rownd y
lle yn ei bŵts a'i bra bron-â-chyrraedd-at-ei-thrwyn.
Cwilydd. Ma hi'n gneud swpar i Jacanori nos fory.

'Be 'dach chi am gwcio iddo fo, Mam?'

'Cyri prôn.'

'PORN?!' meddwn i'n tynnu arni.

'Ia,' medda hitha, heb glwad – *classic*! 'Mae o'n
piscean vegan.'

'Swnio'n doji.'

''Di o ddim yn byta cynnyrch llefrith (caws, iogwrt
a hufen a ballu) ond mae o'n byta pysgod.' Ydy mwn
– rêl blwmin athro drama – toedd y botel ddŵr Evian
enfawr oedd yn byw dan ei gesail o'n sgrechian
TWMFFAT TOFU?

Mi ofynnodd hi i mi wedyn be oedd *piscean vegan*
yn Gymraeg. Sut ddiawl dwi i fod wbod peth felly?!

'Hipi ffishi ffysi, de,' meddwn i, a dyma hi'n
chwerthin.

Mae'n braf gweld Mam yn chwerthin; peth prin ers
i Dad symud i ffwrdd. Ddim ei bod hi yn ei dybla tra
oedd Dad yn byw hefo ni chwaith. Ond ers i Jacanori
landio ar y sîn, ma hi fath â tasa hi ar *laughing gas* – lyfd-
yp fath â hogan ysgol, wedi mopio'n lân hefo'r boi.

Braf arni, yn cael ei weld o pryd bynnag, lle bynnag ma hi isho. Ddim 'mod i isho gweld Jacanori bob munud, ym mhob man! Ond ma 'na rywun y byswn i wrth fy modd yn cael gweld mwy ohoni. Ac ella bod 'na obaith rŵan.

Oedd y gloch diwedd pnawn newydd ganu, a'i brawd hi'n aros amdani yn y lle arferol. Mi benderfynais gymryd y tarw (a'r brawd) wrth ei geillia (ddim yn llythrennol – bod yn ddewr, dwi'n feddwl). Felly heddiw, yn hytrach na stelcian tu ôl i ryw gornel fath â llgodan, mi gerddais i hefo Aminah at y car bach coch, a hitha'n hanner cuddio tu ôl i mi.

'Matt, dwi wir ddim yn meddwl bod hyn yn syniad da,' medda hi rhwng ei dannedd. Do'n inna ddim chwaith, ond oedd o werth trio. Mi graffais i drwy ffenest y car.

'S'mai?' meddwn i.

Mi agorodd ynta ei ffenest: 'Iawn?'

Doedd o'm yn gwenu. Doedd o'm yn gwgu chwaith. Dwn i'm be oedd o'n 'i neud. Dwn i'm be ddiawl o'n inna'n 'i neud chwaith, ond rwsud, o rwla, mi ddaeth 'na rwbath allan o 'ngheg i: 'Yli, yyy… fyswn i'n licio gweld Aminah weithia, tu allan i'r ysgol… hynny ydy tu allan i oria ysgol.'

Distawrwydd llethol; y math o ddistawrwydd sy'n dilyn rhech hir neu jôc sâl.

Mi sbiodd ar ei oriawr.

'Ma hi tu allan i oria ysgol rŵan,' medda fo.

'Yyy… ydy… ond ddim… yyy, ddim dyna… ' ro'n i'n baglu fath â dafad heb goesa. Wedyn mi wenodd o'n llydan, ac mi wawriodd arna inna: tynnu coes oedd o!

'A deud y gwir, Matthew, o'n i isho diolch i ti – am edrych ar ôl Aminah y noson o'r blaen. Oedd y teulu'n gwerthfawrogi hynna.' Teulu? O'n i'n teimlo fel y cymeriad 'na yn *The Godfather* – jyst cyn iddo fo ddeffro drws nesa i ben ei geffyl!

'Tyd draw i'r siop ryw dro,' medda fo gan danio'r injan, 'os 'di hynny'n iawn hefo Aminah.' Mi gododd hi ei llygaid, oedd wedi bod o'r golwg tu ôl i'w gwallt hi tan rŵan. Oedd ei gwyneb hi'n llawn gola a gobaith. Dwi rioed wedi'i gweld hi'n edrych mor hapus. Mi wasgodd fy llaw i'n dynn cyn diolch i'w brawd a diflannu i mewn i'r car. DWI'N CAEL GWELD AMINAH!! Dim cerdded adra nes i, ond sgipio fath â ffŵl, a doedd uffar o ots gin i pwy oedd yn gweld.

Dim ond un ar ddeg diwrnod i fynd tan Santes Dwynwen. Ma'n RHAID i mi ofyn iddi fynd allan hefo fi cyn hynny. Gylp. Sgin i'm hôps prônsan mewn cyri pirana, nagoes?

Dydd Sadwrn, 15fed Ionawr

Dychrynis i am fy mywyd bora ma. Godes i o 'ngwely
i fynd am wagiad tua saith (heb agor fy llgada mwy na
rhyw ddau filimedr er mwyn gneud hi'n haws mynd
yn ôl i gysgu wedyn). Fanno ro'n i'n gneud yr
angenrheidiol, pan weles i wyneb fel y galchen drwy
gîl fy llygad. Dim gwallt... dim dillad...
DRYCHIOLAETH! Mi sgrechiais i, ac mi sgrechiodd
y peth:

'BLYDI HEL, BETINFEDDWLTINEEEUD
HOGYYYN?!' crochlefodd yr wyneb claerwyn. Do'n
i rioed 'di gweld ysbryd o'r blaen, heb sôn am un
noeth, heb sôn am glwad un yn rhegi arna i! Ond, o
graffu, mi sylweddolais i mai Mam oedd hi, yn *face-pack*
ac yn *fake tan* o'i chorun i'w swdwl, a'r gwallt blond
wedi'i sdwffio'n fflat dan gap bath. Pwy ond Mam
fysa'n codi cyn saith ar ddydd Sadwrn? Nytar. Es i'n ôl
i 'ngwely a smalio mai hunlla oedd hi (ddim bod rhaid
i mi smalio rhyw lawer).

'Dwi'n gweld Jac heno ma,' oedd yr unig eglurhad
ges i amser brecwast.

'Dwi'n gweld Jac heno, Matthew,' medda hi
wedyn. So? Dwi'n gweld Jac bob dydd yn rysgol – *big
deal* – be oedd hi isho, *chocolate watch?!* Go brin – tydy
Mam ddim yn cyffwrdd â siocled o fath yn y byd 'di
mynd, rhag ofn iddi fynd yn dew (neu'n dewach) ac i

Jacanori stopio ei ffansïo hi. *Sad*.

Mi barablodd hi am hanner awr wedyn am y cyri prôn ma oedd hi'n mynd i neud iddo fo. O'n i'n edrych fatha tasa gen i ronyn o fynadd neu ddiddordeb mewn sut i goginio reis basmati'n berffaith? Dwn i'm be uffar sy'n bod ar dêc-awê fy hun, ond 'na fo – fi sy'n gorfod bod yn glust i'r monologau hirfaith ma, a ma pob dim yn cylchdroi o gwmpas Jacanori. Dwi'n fwy o *agony aunt* nag o fab.

Ar fin gadael y gegin o'n i pan ges i orchymyn i fynd i'r dre i nôl negas. 'Di hyn ddim yn digwydd yn aml; bob tro dwi 'di bod o'r blaen dwi wastad 'di cael rhwbath yn rong – y math anghywir o bowdwr golchi, caws pobol dew yn lle caws pobol dena, y papur toilet cyffredin yn lle'r un *luxury velvet silky-smoothy-satin-sych-dy-din-hefo-sidan-sanctaidd-gwyn*. Isho sbeisys ar gyfer y cyri oedd hi, ond ddim y rhei cyffredin ma rhywun yn eu cael mewn bocsys bach yn Spar, o na – dim ond y gora i'r hen Jacanori. Fysa hi 'di 'ngyrru fi i farchnad yn Bombay ac yn ôl tasa 'na amser, ond fel mae'n digwydd, ro'n i'n gwbod am le gwell, mymryn yn nes, a llawer mwy cyffrous i gael y cynhwysion i'r cyri.

'Tyd draw i'r siop rywdro' – dyna ddudodd brawd Aminah ddoe, felly dyna nes i. O'n i'n gwbod lle oedd y siop achos oedd mam Sparks 'di deud wrtha i rywdro. Cwyno oedd hi nad oedd y siop newydd 'mond tafliad carreg o'u siop Spar nhw. Oedd hi'n gandryll: 'Pobol ddŵad hefo'r gwyneb i ddwyn ein busnas ni o dan ein trwyna ni! Un peth 'dy Saeson; 'dan ni 'di arfer hefo rheiny, ond rŵan, INDIANS!'

Oedd 'y nghalon i fath â chwningen aflonydd wrth i mi nesáu at y siop fach; pres Mam yn llosgi yn 'y mhoced i a 'mochau i ar dân. Pan agorais i ddrws y siop yn ara-deg, mi ganodd 'na glychau bach, fel y clychau sydd am wddw gafr, a rhes hir o geiliogod lliwgar yn sownd wrthyn nhw. Oedd 'na ogla melys, myglyd yn gymysg hefo ogla papura newydd a fferins dwy geiniog. Oedd hi bron run fath ag unrhyw siop gornel arall, a 'swn i'n taeru 'mod i'n gallu clwad Bryn Fôn ar y radio yn y cefn...

Yn sydyn, o nunlla, mi neidiodd 'na ben bach brith o du ôl y cownter, ac mi wenodd yn llydan arna i, gan ddangos bod un dant blaen ar goll.

'Helô,' meddai'r wreigan fach frown yn gyfeillgar.

'Helô,' meddwn inna'n ansicr, 'yyy... Mam Aminah 'dach chi?'

'Sori?' Doedd hi'm yn dallt Cymraeg nag oedd – nes i ddim meddwl.

'*Are you Aminah's mother?*' meddwn i wedyn. Mi sbiodd hi arna i'n hurt – beryg nad oedd hi'n dallt Saesneg chwaith. Wedyn mi chwarddodd hi'n uchel, ac egluro mai nid mam Aminah oedd hi, ond ei nain hi! Dechra da – mi oedd yr hen gradures wedi gwirioni!

Mi ddaeth Tariq i fy achub i wedyn. Mi oedd Aminah wrthi'n ymarfer ei phiano, felly mi aeth o â fi allan i'r arddi nôl y sbeisys. Doedd hi ddim yn un fawr iawn, ond oedd y wal gefn wedi'i pheintio'n las llachar, fath â lliw'r môr mewn cylchgronau gwylia. Yn hongian o un wal i'r llall mi oedd 'na linyn hir hefo jaria bach yn sownd iddo fo, ac ymhob jar mi oedd 'na gannwyll fach felen. Oedd 'na berlysiau hefyd, yn llenwi'r potiau pridd mawr: mintys a cori-rhwbath a teim a phersli, a phlanhigyn cyri hyd yn oed! Oedd yr ogla'n ddigon i'ch gneud chi'n benysgafn. Mi gasglodd Tariq ddau ddyrnaid da o rai o'r perlysiau, a'u rhoi nhw i mi, er mwyn eu rhoi yn y cyri prôn. Eidîal – o'n i'n gwbod y bysa Mam wrth ei bodd yn cael deud wrth Jacanori bod 'na sbeisys ffresh yn y bwyd, ac y bysa fynta'n ecseitio'n lân yn meddwl eu bod nhw wedi eu tyfu'n lleol. Tariq ei hun oedd wedi eu plannu nhw, ac oedd 'na sawl math o floda, coch, oren, pinc a gwyn yn hongian o fasgedi; bloda na weles i rioed eu tebyg o'r blaen – yn enwedig yr adeg yma o'r flwyddyn. Mi roth o fwnsiad o rheiny i mi hefyd, ac mi es i i 'mhoced i estyn pres, ond mi ysgwydodd ei ben a gwgu – 'Am ddim i chdi,' medda fo, a doedd wiw i minna ddadla.

Ro'n i'n clywed sŵn tincian y piano'n llifo o'r llofft. Oes 'na rwbath na 'dy'r hogan yma'n gallu ei neud? Ro'n i'n dychmygu ei bysedd hi'n dawnsio dros y nodau, a thros 'y nghroen i...

'Gei di weld Aminah pryd bynnag wyt ti isho,' medda Tariq, fath â tasa fo 'di darllen fy meddwl i, 'cyn belled â 'mod i hefo chi.' Gytud. Bysedd yn dawnsio dros groen o ddiawl; *fat chance* o hynny a fynta'n gwylio bob symudiad fel plismon! Ond mi ddudodd o wedyn y bysan ni'n 'gweld sut eith hi', oedd o leia'n awgrymu mymryn o breifatrwydd nes ymlaen, ella, gobeithio!

Ma Mam wrth ei bodd hefo'r bloda a'r sbeisys. Mi roth hi ambell un yn ei gwallt (y bloda, ddim y sbeisys) a wedyn mi roth hi sws sdici ar fy nhalcen ('di hi byth yn gwisgo lipstic fel arfer, heb sôn am fy swsho i!) Ma hi wrthi'n cremêtio'r prôns druan rwân ac yn canu *'Tonight'* yn ei llais capel. Dwi'n mynd o ma . A' i i dŷ Wil Wirion, cyn i'r cyri a'r cwrw a'r caru godi pwys arna i gymaint nes i mi chwdu dros y cwbwl lot.

Dydd Llun, Ionawr 17eg

Amser chwara digwyddodd pob dim (chwara o ddiawl. Chwara'n troi'n chwerw). Un munud oeddan ni'n cael laff a malu cachu, a'r munud nesa, BEDLAM!

Ddechreuodd petha fath â bob un amser chwara arall:

Sparks yn cynnig ffag i Elfs, a fynta'n derbyn.

Sparks yn cynnig ffag i mi, a finna'n gwrthod (sgin i'm pres, a ma gin i rywfaint o sens).

Sparks ac Elfs yn cymryd y *piss* am 'mod i 'di gwrthod; hynny'n arwain at sgwrs reit ddiniwed am ffwti, ffilm, gwaith ysgol a genod.

Ar y pwnc ola oeddan ni, ac Elfs a Sparks yn dadla am goesa Linwen; tebyg i goesa pa supermodel oeddan nhw? Oedd Sparks ar ganol taeru bod coesa Linwen yn frownach a hirach na rhai Kate Moss pan landiodd yr hogan ei hun, a gafael yn fy mraich i.

'Hei Matt, fi'n rîli *gutted* nag 'wy i yn yr un llys â ti – bydda fe wedi bod yn *wicked* acto yn dy ffilm di. 'Na i weld ti wedyn, Mr Cyfarwyddwr! *Ciao!*'

Oedd y ddau arall yn gegrwth, fath â dau 'sgodyn syn.

'O ia!' medda Sparks, 'dipyn o fêts, ydach?'

'Yn y dosbarth drama hefo'n gilydd,' meddwn inna fath â bwled, achos dwi'm yn ama bod gin Sparks chydig o grysh ar Linwen. Mi eglurais i'n sydyn am gystadleuaeth ffilmia sdeddfod yr ysgol, ac am y wobr o fynd ar gwrs i Gaerdydd. Mi ddeffrodd y ddau 'sgodyn wedyn.

'Hei!' medda Elfs, ''dan ni yn yr un llys â chdi. Gawn ni fod yn dy ffilm di?' Mi ges i deimlad y galla hyn ddiweddu mewn HOMAR o drychineb erchyll, felly mi eglurais i mai dim ond mynychwyr y dosbarth drama oedd yn cael cymryd rhan yn y ffilmiau.

'Be ddudist di?' medda Elfs, 'dim ond mynachod?!'

'Medda pwy?' Mi stympiodd Sparks ei ffag allan yn erbyn y wal, fodfeddi o fy nghlust dde i.

'Yyyyyy, Jacanori!' meddwn inna, oedd yn wir. Mi ddechreuodd Elfs wedyn:

'O ia... Jacanori. Y Coc-a-dwdl-dw-lal yna. Sgin hwnnw fawr o chwaeth os ti'n gofyn i fi; mewn ffilmia... na dillad... na genod.' Mi ddechreuodd fy ngwaed i ferwi. Un peth oedd cymryd y *piss* allan o athro – peth arall oedd dod â Mam i mewn i'r peth. Ond ma'n rhaid na sylwodd Sparks mor gandryll o'n i, achos yr eiliad wedyn oedd o wedi stwffio'i hun i 'ngwyneb i ac yn gofyn: 'Lle ddiawl oeddach chdi nos Sadwrn, Matt?'

'Tŷ Wil Wirion, pam?'

'Welson ni chdi'n dŵad allan o siop y Findalŵs. Be sy? Bwyd a bloda Spar ddim digon da gin ti nag ydy, rŵan dy fod ti'n mynd allan hefo gwdi-gwdi-Ghandi-*girl*?'

Mi chwarddodd Elfs fath â haîna, fel y bydd o ar bob un o jôcs Sparks, hyd yn oed y rhei sydd ddim yn ddigri; ond oedd fy nhu mewn i'n poethi.

'Be fydd hi nesa Matt? Gwisgo tyrban a chanu Hari Krishna?' O'n i'n trio cadw caead ar y lafa oedd yn byrlymu yn fy mol i.

'Mynd yno am wers yoga nest ti, ia? I weld dy gariad yn strejo?' Oedd y lafa'n dechra codi. Mi ddudes i wrthyn nhw mai mynd yna i nôl sbeisys i roi yng nghyri Mam nes i.

'Fydd rhaid i chdi benderfynu pwy wyt ti, Matt – hogyn Mami ta hogyn y Popadoms!' O'n i'n teimlo'r gwres yn cyrraedd fy ngwddw i, fy ngheg i, ond ddaeth 'na'r un gair allan. Oedd Elfs yn dal wrthi:

'Pam oedda chdi isho sbeisys eniwe? Dydi dy fam di ddim digon 'sbeisi' i'w chariad newydd?' Oedd y lafa ar fin tasgu, ond mi lwyddais i rwsut i'w gadw fo i mewn... tan i Sparks agor ei geg am y tro dwytha:

'Doedd hi ddim digon sbeisi i dy Dad chwaith, nag oedd?'

Dyna hi wedyn. Mi gollais i hi. Colli pob rheolaeth. Mi drodd y lafa yn ddau ddwrn dur a saethu am lygaid Sparks, a rheiny'n syn. Dwrn i drwyn, dwrn i ên, dwrn i ben. Fedra fo ddim fy nghyffwrdd i, ac oedd Elfs mewn gormod o sioc i symud. Mi sgrechiais i fel dyn lloerig cyn hyrddio Sparks i'r llawr a'i bledu fo hefo fy nyrnau, heb feddwl am ddim byd ond Mam a cymaint o'n i isho'i hamddiffyn hi rhag y byd. Oedd dwylo'r bastad am fy ngwddw i, ond prin y medrwn i eu teimlo nhw, o'n i mor danbaid. Mi welwn i geg Elfs yn symud, ond chlywn i'r un gair oedd o'n ddeud. Yn y diwadd mi deimlais i ddwy law gref yn crafangu fy 'sgwydda i a fy rhwygo i oddi ar fy ysglyfaeth – ond nid dwylo Elfs oeddan nhw – ond dwylo Wil Wirion. Oedd ei wyneb o'n fflamgoch.

'Be ti'n feddwl ti'n neud Matt? Ti'n iawn, Sparks?' O'n i wrthi'n pendroni pam ar y ddaear fysa Wil isho achub croen ei elyn penna, pan daranodd llais Jacanori (ei lais Shakesperaidd dyfnaf).

'BOBOL BACH! Be sy'n mynd ymlaen fan hyn?' Mi rewais i. Aeth fy mrên i'n wag. Y cwbwl fedrwn i feddwl amdano fo oedd y Mynydd Grug yn traethu mai idiom Saesneg ydy 'be sy'n mynd ymlaen?' Elfs agorodd ei geg.

'Matt, Syr – di cychwyn ar Sparks, Syr; ond ddaru o'm byd, Syr!' Diolch byth bod Wil wedi'n gwahanu ni pan ddaru o – oedd hi'n amlwg nad oedd Jacanori wedi gweld rhyw lawer. Ond oedd crys Sparks yn batrwm o smotiau gwaed, ac oedd fy nyrnau inna'n dechra brifo.

'Ydy hyn yn wir, Matthew?'

'NAG YDY! Oedd o'n siarad yn hyll am fy nghariad i, ac am eich cariad chitha!' Dyna oeddwn i isho'i ddeud, ond yn lle hynny mi ddudais i:

'Tynnu 'nghoes i oeddan nhw, Jac; achos Mam... a chi.' Mi aeth o'n llonydd i gyd. Dwi rioed di gweld athro 'di colli ei dafod o'r blaen. Mi ddaeth Sparks ato'i hun yn o handi (digon handi i weld ei gyfle i flacmêlio beth bynnag).

'Holi am gael bod yn un o'r ffilms oeddan ni, Syr; ffilms sdeddfod yr ysgol. Fysa'n biti tasa pobol yn meddwl bod Matt yn cael ffafriaeth mond am ei fod o'n digwydd bod yn fab i'ch cariad chi, bysa?'

Y diawl digwilydd! Er bod y gwaed yn 'stillio o'i drwyn o, oedd meddwl Sparks fath â rasal. Mi sythodd Jacanori; oedd ynta'n dallt y sgôr.

'Nos fory mae'r dosbarth drama. Croeso i unrhyw un. Ond dim mwy o lol, 'dach chi'n dallt?'

Felly dyna fo. Ma nhw'n gwbod. A chyn bo hir mi fydd yr ysgol gyfa'n gwbod, a dyna ddiwedd Bywyd Byr a Boring Matthew Parry wedyn. Fysa waeth i mi redeg i ffwrdd rŵan hyn ddim. Neu smalio marw, cael *hair extinctions* fath â Mam a newid fy enw i Matilda. Mi fydda i'n gocyn hitio i bawb pan glywan nhw fod Mam yn mela hefo athro. Cocyn hitio? Naci, *punchbag*! Mi fydd pawb am fy ngwaed i – fydd y thicos yn meddwl 'mod i'n swot am eu bradychu nhw, a'r swots yn meddwl 'mod i'n thico sy isho tresbasu ar eu hochr nhw. Mi fydd yr athrawon yn meddwl 'mod i'n crafu tin, a Mam a Jacanori'n meddwl 'mod i'n gneud ati i fod yn 'anodd'. Mewn limbo eto fyth – wedi 'nghamddallt gan bawb – fath â darn unig o gachu yn nofio'n ddigyfeiriad mewn môr o annobaith.

Eniwe, mewn uffar o gneuen fach *annoying,* dwi a Jacanori yn cael ein blacmêlio gan y ddau brat mwya yn yr ysgol (sy'n digwydd bod yn 'ffrindia' i mi). Mi ddaru Sparks o'n berffaith glir:

'Os na cha i ac Elfs fod yn dy ffilm di Matt, mi fydd PAWB yn gwbod am dy fam di a'r *Drama Queen,* ac yn gwbod pam gest ti dy ddewis dros bawb arall i redeg y sioe… Mr Cyfarwyddwr!' Tasa gynno fo ffag yn ei law, dwi'm yn ama y bysa fo wedi'i stympio hi allan yn fy llygad i. Doedd ganddo fo ddim, diolch i Dduw; ond oedd o'n edrych reit debyg i'r diafol ei hun wrth i'r gwaed ddal i lifo'n gynnes o'i drwyn o.

NOS fercher, Ionawr 1909

Cwestiwn: pam ddiawl ma athrawon yn ein trin ni fel mwncwns? Ma nhw'n meddwl, os gnawn nhw ecseitio'n wirion am rwbath nes bod y chwys yn tasgu o'u ceseiliau crychlyd, a'r ewyn yn casglu rownd eu cega hyll nhw, y gnawn ninna ecseitio run fath. Pryd sylweddolan nhw nad oes gynnon ni ronnyn o barch tuag atyn nhw, ac felly, nad oes gynnon ni flewyn o ddiddordeb yn eu barn nhw? Ond 'na fo, triwch chi ddeud hynna wrth y Mynydd Grug pan ma hi ar gefn ei cheffyl. Druan o'r ceffyl!

Aeth hi ar fy nerfa fi'n lân bora ma, yn pregethu am bwysigrwydd Cystadleuaeth Cadair Eisteddfod yr Ysgol (cadair neu goron, dwi'm yn cofio). Dwi'm isho cadair, gin i soffa. A reit siŵr dwi'm isho blydi coron; fath â tasa unrhyw un *isho* edrych fath â pons o flaen yr holl ysgol!

'Tywyllwch! Cofiwch rŵan; mi fydd gynnoch chi awr gyfa gron yn y wers ddydd Gwener i sgwennu eich campweithiau – Tywyllwch!' Mi fytheiriodd hi'r gair i lawr y coridor arnan ni wedyn: 'TYWYLLWCH!' fath â tasan ni'n fyddar, a hitha'n wrach felltithgar (ond o'n i 'di ama'n barod mai dyna oedd hi).

Drama ar ôl ysgol wedyn – Sparks ac Elfs yn *gate-crasho* hefo rhyw stori goc am gael caniatâd y Pyrf-athro. *As if* y bysa hwnnw'n gadael yr un o'r ddau'n agos at 'weithgaredd allgyrsiol' – ddim ar ôl yr holl ffys fuodd ar Noson Tân Gwyllt llynedd, pan gawson nhw eu dal hefo'r cania cwrw a'r spliff, a chael eu hel o'r ysgol am bythefnos. 'Gweithgaredd allgyrsiol' myn diawl i! Dim ond Jacanori a finna oedd yn gwbod y gwir reswm oeddan nhw yno; a doedd yr un ohonan ni'n mynd i agor ein cega, nag oeddan?

Yn fy ffilm i landiodd y ddau dwmffat ar eu tina, am fod y ddau yn llys Ceiriog fath â fi. Dwi'm yn siŵr os 'na cyd-ddigwyddiad ydy bod y tri ohona ni yn yr un llys â'n gilydd. Go brin, achos ma pawb yn ein dosbarth cofrestru ni (sy'n cynnwys Sparks ac Elfs) yn llys Ceiriog. Wedi meddwl, ella mai cyd-ddigwyddiad ydy 'mod i'n 'ffrindia' hefo'r ddau yn y lle cynta. Ella, tasa ffawd, neu'r Pyrf-Athro, neu rhyw gompiwtar, heb ein taflu ni ar hap i'r un stafell ddosbarth i gael ein cyfri fel defaid bob bora a phnawn, ella wedyn na fysan ni rioed 'di bod yn 'ffrindia' o gwbwl. Ella na fysan ni rioed 'di torri gair hefo'n gilydd! Fysa ni jyst yn pasio'n gilydd yn y coridor! Wiyrd. Ma 'mhen i'n brifo jyst yn meddwl am y peth. Fysa'n well i mi stopio.

Eniwe, ddaru'r ddau neud dim byd drwy gydol y dosbarth ond glafoerio dros Linwen, oedd yn ynfyd gan ei bod *hi'n* gneud dim byd ond glafoerio dros Llŷr-Rhy-Bur (achos ei bod hi isho chwara'r brif ran yn ei ffilm o ella). Ma hi rêl actores. Ma hi fath â bylb gola sy'n cael *switch-on* bob tro ma 'na rywun yn sbio arni hi. Neu ella mai'r ffaith ei bod hi mor 'sbiwch-arna-i' a gola neon sy'n gneud i bobol syllu arni hi. Beth bynnag ydy o, ma hi wastad yn mynnu sylw, ac oedd Sparks ac Elfs yn fwy na bodlon ei roi o iddi, tan i Llŷr fynnu bod ei grŵp o (sef llys Ednyfed) yn dechra trafod y sgript.

'Blw-mwfi!' medda Sparks dan ei wynt, ac mi chwarddodd Elfs yn fudur.

Oedd Wil Wirion a finna 'di bod yn sôn am neud ffilm am fwlio. Dwn i'm pam – esgus da i gael pobol yn cwffio ynddi hi ella; gwrthdaro a ballu.

'Fi 'di Bòs y Bwlis ta!' medda Sparks yn syth, fath â tasan ni'n chwara ar iard ysgol bach.

'A fi di'i fêt o – *right hand man* – Eidîal!' medda Elfs fath â siot. Mi fynnodd Sparks mai Wil Wirion oedd yn chwara'r boi sy'n cael ei fwlio: oedd y ffilm ma'n dechra adlewyrchu bywyd go iawn yn barod.

'Chdi sy'n chwara'r piblyn poji pathetig sy'n gorfod erfyn arnan ni am faddeuant,' medda Sparks hefo gwên filain ar ei wep, 'Ti'n berffaith i'r part, Wil!'

'Wyt,' medda Elfs, 'ti'n berffaith i'r PRAT!'

Wil druan. Tasa fo 'di gwrthod neu dynnu'n groes, mi fysa fo 'di cael hed-byt neu *Chinese burn* yn y fan a'r lle. Ond ddaru o ddim, a nes inna ddim chwaith, er mai fi oedd y 'Cyfarwyddwr' i fod.

'*Sex* a *violence;* dyna sy'n gneud ffilm dda,' medda Sparks fath â tasa fo'n arbenigwr; ac mae o am wn i, a fynta 'di cael gwatsiad pob ffilm yn Spar er pan oedd o'n ddim o beth, hyd yn oed y rhei 18. Wel ma secs allan o'r cwestiwn ('mond lloea o blwyddyn 7 sy gynnon ni yn ein grŵp) ond ma'r trais yn mynd i fod yn amlwg iawn. Mi fynnodd Sparks bod y ddau fwli yn y ffilm yn gorfodi cymeriad Wil i neud petha erchyll, fath â ma nhw'n neud ar y rhaglenni teledu hwyr 'na – *Jackass* a *Dirty Sanchez* – ma Sparks ac Elfs yn amlwg yn ffans. Wedyn mi fuo rhaid i ni i gyd wrando ar restr hir o bob cosb arteithiol oeddan nhw isho'u cynnwys yn y ffilm. Dyma lond dwrn sy 'di aros yn y co (am resymau amlwg:)

1. Gorfodi Wil i yfed llond gwydryn o ddŵr (sy'n llawn pysgod bach trofannol) – YCH.

2. Gosod clipiau crocodeil metel ar dethi Wil a'u gadael nhw yno am bum munud cyfa – AWTCH.

3. Gneud i Wil snortio powdwr cyri poeth poeth (madras neu findalŵ) tan mae o'n chwdu – NEIS.

4. Clymu a gagio Wil yn noeth ar y reid fwya dychrynllyd yn y ffair a'i adael o arni tan mae o'n chwdu – LYFLI.

5. Gneud i Wil garglo 'Hen Wlad fy Nhadau' hefo'i biso'i hun.

6. Gneud i Wil garglo '*God Save the Queen*' hefo piso Sparks.

7. Gneud i Wil garglo 'Defaid William Morgan' hefo llefrith gafr 'di suro.

Ac yn y blaen. Dwi'n teimlo'n sâl rŵan. *As if* gawn ni ffilmio'r fath betha. *As if* y bysan ni'n cael dangos y ffasiwn fochyndra sgymllyd o flaen yr ysgol gyfa, heb sôn am yr athrawon. Chawn ni byth, siŵr. Ddudais i hynny wrthyn nhw hefyd, a'u hatgoffa nhw mai fi oedd y cyfarwyddwr.

'Ond pwy 'di dy fam di, Matt?' Oedd y geiria hynny'n ddigon i neud i mi ailfeddwl.

'Siân Pwll Tŷ'n Rhyd siŵr iawn!' medda Wil Wirion heb ddallt, ac mi gafodd o benelin Elfs yn ei ochr am ei drafferth. Doedd 'na ddim byd fedrwn i ei ddeud na'i neud; oedd o fath â hunlla. Am y tro cynta yn fy mywyd o'n i'n cael bod yn geffyl blaen, ac oedd rhaid i'r ddau ffŵl yma fachu'r ffrwynau a rhedeg y sioe. Ma Wil Wirion yn cachu brics. Wela i ddim bai arno fo; dw inna ddim yn meiddio anghytuno hefo'r ffernols, rhag ofn iddyn nhw adael y gath allan o'r cwd am Mam a Jacanori. Gwersi drama o ddiawl, ma 'mywyd i'n ddigon o ddrama fel ma hi!

Mi ofynnodd Jacanori i mi wedyn be fysa Mam yn licio'n anrheg Santes Dwynwen. Mynadd. Mi ddudes i y bysa hi wrth ei bodd hefo CD *West Side Story* (dwi'm yn meddwl ei fod o 'di dallt mai bod yn sarcastig o'n i).

Ond tu draw i bob sach o gachu ma 'na enfys liw; ges i afael yn nwylo Aminah a syllu arni hi am saith munud cyn i'w brawd hi landio. A ddaru ni ddim gollwng dwylo ar ôl iddo fo gyrraedd chwaith. Ches i ddim sws, ond mi ges i wahoddiad gan Tariq i fynd draw atyn nhw nos Wener – *nice one*!

'Wchi pan 'dach chi'n dringo mynydd? Y cama ola un
ydy'r anodda bob tro. Ac felly oedd Cymraeg heddiw.
Gwers ola un yn yr wsnos, a ninna'n gofod sgwennu'n
'greadigol' am awr. Fath â gofyn i ddringwr Everest
gyfansoddi a chanu aria opera wrth iddo fo gyrraedd y
copa! Oedd fy mrên i 'di ffrio fel oedd hi, ar ôl awr o
ffiseg hefo Ffrised. Joli iawn – trafod *black holes* a sut
oedd y bydysawd yn siŵr o ffrwydro neu grebachu'n
ddim yn y diwedd. Cymraeg wedyn: gorfod treulio
CHWE DEG munud arall o'n hieuenctid prin yn
malu cachu am DYWYLLWCH! Ac ma nhw'n
pendroni pam 'dan ni'n teimlo'n isel! Be di'r pwynt
trio am goron sdeddfod yr ysgol pan ma'r byd yn
mynd i chwythu'n gyrbibion neu grino'n ddim ryw
ddiwrnod eniwe? I be ddiawl fysa rhywun isho coron
wedyn? Er mwyn iddyn nhw gael edrych fath â Prince
Charles wrth nofio'n gorff drwy'r gofod?

Dwn i'm sut oedd y Mynydd Grug yn disgwyl i ni
gael ein hysbrydoli, a hitha'n ein 'styrbio ni'n ddi-
ddiwedd fath â rhyw *personal trainer* sy'n gofyn am gic
yn ei geillia (ddim bod ganddi hi geillia… er, fyswn i
ddim yn synnu tasa ganddi chwaith).

'Tywyllwch!' medda hi drosodd a throsodd wrth
hwylio rownd y dosbarth fath â gwrach ar sbîd. Oedd
hi'n gwisgo poncho du er mwyn cuddio ei lympia

helaeth, ond oedd o jyst yn gneud iddi edrach fath ag ystlum *obese*. Ysbrydoli o ddiawl!

Mi nes i drio. Mi ges i syniad am stori fer, criw o ffrindia'n mynd i aros mewn hen dŷ anghysbell... ond o sbio rownd y dosbarth oedd hi'n amlwg bod pawb arall 'di cael yr un syniad, ac wrthi'n sgriblo 'Un tro...' ar wib hefo'u tafoda'n hongian allan o'u cega.

'Pa mor hir sy rhaid iddo fo fod, Miss?' medda Wil Wirion, oedd heb sgwennu run gair ar ôl chwarter awr.

'Pa mor hir ydy darn o linyn, William?' gofynnodd hitha'n ôl. Mi chwarddodd ambell un o'r swots ac mi rowliodd Linwen ei llgada gwyrdd a thaflu gwên glosi ata i. Mi sbies i lawr ar y sgribls ar fy mhapur.

Oedd y darn yn cael bod yn rhwbath oeddan ni isho; llythyr, stori, dyddiadur, cerdd, ymson, englyn hyd yn oed! Ha ha, uffar o beryg. Mi sgwennes i gerdd yn y diwadd; dyna un peth da am farddoniaeth – llai o eiria, a llai o sens hefyd, fel arfer. Tywyllwch. Mi feddylies i am sgwennu ymson dyn dall, ond dwi'm yn gwbod sud beth ydy o i fod yn ddall felly mi rois i'r gora i'r syniad yna'n o handi. Y cwbwl fedrwn i weld oedd llgada Aminah, gwallt Aminah, croen Aminah, a'r pellter rhyngddan ni fel twnnel du. Felly mi sgwennes i am hynna. Dwi'm yn cofio be yn union oedd yn y gerdd (os mai 'cerdd' oedd hi 'fyd). Doedd hi ddim yn odli chwaith – tydy 'mywyd inna ddim yn odli y dyddia yma. Ond mi fedrwn i feddwl am waeth ffyrdd o dreulio awr; fel gwrando ar y Mynydd Grug yn pregethu am dreigliada trwynol a gneud sŵn fflem hyll yng nghefn ei gwddw fath â hen ddyn sâl yn pesychu. Ych a fi!

Es i draw i dŷ Aminah wedyn – mi ges i lifft ganddi hi a'i brawd – mae o'n gyrru fath â bom. Pan gyrhaeddon ni, oedd eu Nain nhw'n ista yn y stafell fyw, uwchben y siop, yn gwatsiad *Eastenders* hefo'r sŵn yn uchel uchel. Oedd y lleisiau'n blastio gymaint nes oedd y llawr yn dirgrynnu, ond doedd yr hen wreigen ddim yn sylwi, 'mond yn sugno'n uchel ar baced o M'nMs.

''Dan ni'n gorfod tapio bob pennod iddi,' eglurodd Aminah, 'er mwyn iddi gael eu gwylio nhw yn ei hamser ei hun, a rhag ein bod ninna'n gorfod diodda'r foliwm!'

Mi wrandawis i ar Aminah yn chwara piano wedyn, ond a deud y gwir, o'n i'n sbio arni hi fwy nag ro'n i'n gwrando arni. Mae ei hamrannau hi'n hir hir fath â phryfaid cop perffaith. Oedd ei llygaid hi'n gwibio o'i dwylo i'r dudalen, ac yn cau weithia pan fydda hi'n gneud camgymeriad. Ma'i gwên hi mor swil weithia, fath â hogan fach. Ma hi mor wahanol i rywun fath â Linwen. Fedra i'm dychmygu Linwen yn teimlo'n swil am ddim byd. 'Swn i 'di gallu gwrando a sbio ar Aminah drwy'r nos, ond dwi'm yn meddwl y bysa'i mam a'i thad hi'n rhy hapus taswn i'n gneud hynny. Ma nhw'n bobol glên hefyd; mi gynigiodd y fam banad o de i mi; a ddim yr hen sdwff gwyrdd ffiaidd 'na ma Mam yn drio'i hwrjo i lawr fy nghorn gwddw i chwaith, ond te go iawn. Ac mi ges i fisgedi Digestives wedi'u malu gan ei thad hi 'fyd. Wedyn mi nes i fy esgusodion (gwaith cartra – *as if*, ar nos Wener! A bod Mam yn fy nisgwyl i adra – *as if* ar nos Wener – isho'r tŷ iddi hi'i hun a Jacanori oedd hi siŵr!).

Mi ges i sws slei yn y cyntedd wrth ffarwelio (ond dim ond ar fy moch – oedd yn well na dim am wn i), a dyma Aminah'n sibrwd yn fy nghlust i bod ganddi newyddion da: bod Tariq yn deud y bydden ni'n tri'n cael mynd i weld ffilm nos fory! Oedd fy hanner i isho neidio o lawenydd, a'r hanner arall isho hed-bytio'r wal. Dêt hefo hi a'i *brawd*!? Ond o leia oedd o'n ddêt (o fath) ac o leia oedd o'n ddatblygiad o fod yn chwara piano a gwatsiad ei nain hi'n gwatsiad *Eastenders* am wn i.

'Mond 4 diwrnod tan Dydd Artaith, Embaras a Siom Blynyddol Santes Dwynwen. Fysa well i mi ddechra ymarfer (a gweddïo).

Dydd Sul, Ionawr 22ain

Pam mai'r dyddia, 'dach chi'n meddwl sy'n mynd i fod yn berffaith, sy wastad yn diweddu'n gachu pur? *Sod's law* fysa Dad 'di alw fo. Dim bod gan hwnnw *sod-all* i neud hefo 'mywyd i rŵan. Er, mi ges i gardyn post ganddo fo o Brighton diwrnod o'r blaen – yno am 'frêc bach' medda fo. *Dirty weekend* hefo Lindsey'r lyfyr 'mwn. Er, wedi meddwl, ma hi'n fwy na lyfyr rŵan; ma nhw 'di dyweddïo. Wîyrd. Wel doedd gin *i* fawr o obaith am unrhyw fudreddi o'r math yna'r penwsnos ma; ddim hefo Gwarchodwr Safonau Moesol Swyddogol yn fy nilyn i ac Aminah o gwmpas y lle fath â cysgod. Mi ddaru o hyd yn oed lwyddo i isda rhwng y ddau ohonan ni yn y sinema! Ddim nad ydw i'n mwynhau ei gwmni o, ond tydio ddim fath â 'mod i'n gymaint o fêts hefo fo ag ydw i hefo'i chwaer o; dwi prin yn nabod Tariq. Dwi prin yn nabod Aminah o ran hynny. Mae o'n teimlo weithia fel taswn i'n ei nabod hi llai rŵan nag ro'n i o'r blaen hyd yn oed; mae'n anodd tyfu'n agosach at rywun pan 'dach chi mond yn cael eu gweld nhw hefo pobol erill, a byth ar eich pen eich hun.

Eniwe, dyma fo hanes yr helynt hyll. *Silent Night* oedd enw'r ffilm – comedi am ddyn dall a'i ffrind byddar; swnio'n ffyni, ond dwi'm yn meddwl 'mod i 'di chwerthin unwaith drwy gydol y ffilm. O'n i un ai'n teimlo'n flin am fod 'na gwsberan fawr flewog rhyngdda i a'r Hogan Hardda dan Haul, neu ro'n i'n meddwl mor braf fysa cael cyffwrdd yn yr Hogan Hardda dan Haul. Mewn geiria erill, do'n i'm yn canolbwyntio o gwbwl ar y ffilm. O'n i'n dechra cwestiynu holl bwrpas bod yno o gwbwl. Oedd o'n debycach i ditenshyn nag i ddêt, a'r un mor rhwystredig a diflas 'fyd.

Wedyn, mi ddigwyddodd rhwbath Anhygoel o cŵl: mi drodd Tariq ata i a deud y bysa fo'n ein cyfarfod ni'n dau tu allan i'r sinema ar ddiwedd y ffilm… ac i ffwrdd ag o! Mi sbiodd Aminah arna i hefo'i llygaid *Maltesers* mawr, a rheiny'n gymysgedd o bryder a chyffro.

Mi arhosodd sêt Tariq yn wag am sbel; oedd gin y ddau ohona ni ofn gneud y symudiad cynta, ac ofn y bysa fo'n newid ei feddwl a dod yn ôl a'n dal ni. Wedyn mi benderfynais i fod yn ddewr, neu o sbio'n ôl, yn sdiwpid; achos o'r diwedd, pan fagais i ddigon o hyder i godi a symud i'r sêt wrth ochr Aminah, mi drawais i'r gwpan Coke drosodd, nes oedd sgidia'r ddau ohona ni a'i bag hitha'n socian. Mi regais i'n uchel ac ymddiheuro wrthi cyn cael fy shyshio'n swnllyd gan ddyn blin yn y rhes o'n blaena ni. Mi dorrodd hyn yr ias beth bynnag, a dyma'r ddau ohona ni'n piffian chwerthin.

Wedyn, yn ystod rhyw dair eiliad o dduwch rhwng

un olygfa a'r llaill yn y ffilm, mi gydiais i yn ei llaw hi. Mi fedrwn i ei theimlo hi'n gwenu yn y twllwch, ac ar ôl chydig mi ddechreuodd hi fwytho cledr fy llaw i hefo'i bysedd, a rheiny mor esmwyth ac ysgafn ag adenydd glöyn byw. Mi lwyddais inna rwsut i gadw'r swigod Coca-Cola, oedd yn bygwth troi'n fyrp fawreddog unrhyw funud, yn saff yn fy stumog. Oedd pob dim yn mynd fel breuddwyd; fath â ffilm – ffilm well na'r un oedd i'w gweld o'n blaena ni beth bynnag! Oedd y ddau ohonan ni'n suddo'n is ac yn is yn ein seti, a 'di colli pob ddiddordeb yn yr hyn oedd yn digwydd ar y sgrîn. Oeddan ni'n nesáu at ein gilydd, oedd croen ei braich hi'n gynnes, oedd hi'n ogleuo o *Bounty* a thanjarîns, oedd ei llygaid hi'n loyw a'i gwên hi'n agor allan fath â blodyn yn blaguro ac o'n i bron â sgrechian isho'i chusanu hi…

A dyna pryd ddechreuodd o – y giglo. Oedd o'n dod o'r rhes tu ôl i ni; piffian a sibrwd a siarad. Dyma fi'n 'stwyrian yn fy sêt. Oes 'na rwbath sy'n difetha ffilm (neu ddêt) gymaint â sŵn pobol eraill? Iawn snogio a byta fferins a swigio lemonêd yn pictiwrs – dyna ran o'r rheswm ma pobol yn mynd yno am wn i – i bydru eu dannedd a chosi tonsyls ei gilydd yn y twllwch. A iawn chwerthin a giglo (MEWN YMATEB I'R FFILM – ond nid mewn ymateb i be bynnag ma'r person arall newydd lafoerio i mewn i'ch clust chi!) Oedd y giglo'n cynyddu, ac oedd hi'n amlwg bod un ohonyn nhw'n cosi'r llall. Mi wichiodd y ddynes fel mochyn dan giât, ac mi ges inna gic hegr yng nghefn fy sêt.

BLYDI HEL! O'n i ar fin profi'r wefr o gusanu angel, ac oedd rhaid i ryw ddau gorach coman ddifetha'r eiliad. Fedrwn i ddim hyd yn oed mynd ar ddêt bach diniwed heb orfod diodda malu cachu pobol erill!

Mi drois i rownd a gofyn oeddan nhw'n mendio bod yn ddistaw neu fynd allan. Nes i ddim sylwi'n syth a hitha'n dywyll… ond pan welis i'r sglein smalio ar y gwallt golau… mi rewodd fy ngwaed i.

Mam oedd hi!

FI: Mam?

MAM: Matthew?

FI: MAM!

MAM: MATTHEW!

JAC   Matthew? Matthew? *Shit!*

MAM: Matthew, doedd gin i ddim syniad bod chdi'n
        mynd i fod yma heno!

FI: Nag oedd yn amlwg!

O'n i'n teimlo fath â mai *fi* oedd mewn ffilm. Comedi uffernol o wael.

Ha blydi ha blydi ha ha ha!

Es i ac Aminah o 'na'n reit handi. Oeddan ni am fynd am dro ar hyd y prom ond pwy oedd tu allan yn aros amdanan ni? Tariq – y brawd bythol-bresennol. Adra â fi wedyn i watsiad ffilm ddu a gwyn doji oedd ar ei hanner, a gorffen y lobsgows oedd ar ôl ers neithiwr. Dêt o ddiawl.

Daeth Mam yn ôl yn llawn ymddiheuriada a hefo llond ei haffla o ffish a tsips. Ddudis i wrthi 'mod i 'di byta.

'Sori, Matt,' medda hi wedyn, 'oeddan ni yn y dre yn chwilio am rhyw lyfr i Jac pan welson ni pa ffilm oedd yn y sinema, ac ynta 'di clwad ei bod hi'n un dda… sori 'ngwas i.' Ffilm dda myn uffar i; go brin eu bod nhw 'di gweld ei chwarter hi!

Cwbwl wela i rŵan ydy llgada *Maltesers* Aminah yn toddi yn y twllwch. Fedra i ddim peidio â damio o feddwl pa mor agos o'n i i'w blasu nhw.

Dydd Llun, Ionawr 24ain. 11:32pm

Dim ond awr a 28 munud i fynd tan ddiwrnod Santes Dwynwen. CACHU CLUSTIA!

Lle ddiawl aeth mis Ionawr? O'n i 'di bwriadu trawsnewid fy nghymeriad a 'mywyd erbyn hyn – magu hyder, a mysyls, a darllen llwythi o lyfra am Islam a Pakistan a genod. Ond *shit* – rhy hwyr. A rŵan, mewn llai na 24 awr, fydda i wedi, neu o leia wedi trio, gofyn i Aminah fynd allan hefo fi. A fydd hitha wedi ateb. Gobeithio. Neu gobeithio ddim, yn dibynnu be fydd yr ateb.

God 'swn i'n licio bod yn fwrdd neu'n gadair neu'n ornament llyffant am ddiwrnod; tydyn nhw ddim yn gorfod poeni am ddim byd. Tydyn nhw ddim yn gorfod gofyn i neb fynd allan hefo nhw, na phoeni am yr ateb. Ond fysan nhw'm yn gallu mynd allan i nunlla eniwe, hyd yn oed tasan nhw isho, os na fasa 'na rywun arall yn eu cario nhw, a fysa hynny ddim hanner cymaint o hwyl. Ac eniwe, i lle fysan nhw'n mynd ar ddêt? I Ikea?!

Ma'r bysedd ma'n bablo. Nos da.

DYDD Y FARN

Ionawr 25ain – Dydd Santes Dwynwen – trw lyf *kiss-kiss... (kiss of death)*

O'n i'n disgwl y crap cariadus arferol: cael ein gorfodi i neud cardyn siâp calon yn Celf (a'r hogia i gyd yn eu troi nhw'n eroplêns a phledu'n gilydd hefo nhw amser egwyl). Wedyn cael ein gorfodi i gyd-gyfansoddi cerdd serch yn y wers Gymraeg:

'Mae 'nghariad i'n rosyn coch heb ddrain.

Mae 'nghariad i'n seren wen heb ddiwedd.

Mae 'nghariad i'n siocled melys sy'n sdyc yn y carped ers i'r ci drws nesa ei dagu o allan mewn pelen flew ar fora Boxing Day bla bla bla bla... Bolycs.

Y Diwedd.'

Oedd y Mynydd Grug 'di stwffio ei bronnau bryniog i mewn i ryw flows binc ffiaidd o tua 1989, oedd yn amlwg yn rhy fach iddi hi, ac yn rhy hyll i neb arall ei gwisgo. Ac achos bod y flows mor dynn, a'r barddoni mor erotig (*not*) oedd yr MG yn chwysu mwy na'r arfer (sy'n lot) ac achos ei bod hi'n chwysu gymaint, oedd hi'n gorfod llacio'r gwddw bob hyn a hyn drwy agor botwm... ar ôl botwm... ar ôl botwm... nes yn diwadd oedd ei chnawd pinc piwclyd hi i gyd yn y golwg, yn ogystal â'i bra pygddu. Oedd pawb yn hollol *disgusted*, hyd yn oed y swots. Fedra i'm dychmygu dim byd mwy erchyll na bwystfiles annymunol yn mynd yn *turned-on* gan ddillad tynn a cherdd llawn clichés ar y bwrdd gwyn. *Sad*. Hon oedd yr olygfa fwya dychrynllyd welish i rioed. Garantîd ga i hunlla amdani heno, ac y bydd yn rhaid i mi gael therapi am weddill fy mywyd er mwyn fy ngalluogi i 'i ddod i delerau â'r trawma personol' chadal y Seico-Addysg.

Doedd Sparks ac Elfs ddim yn gariadus iawn chwaith; ddaru nhw faglu Wil Wirion yn y coridor amser brêc, nes oedd o'n fflatnar ar lawr, a hynny o flaen lot o genod Blwyddyn 13. A ddim jyst sticio troed allan yn slei chwaith, ond cuddio un bob ochr i'r coridor gwyddoniaeth a thynnu'r llinyn yn dynn fel oedd Wil druan yn camu heibio. Cradur. Oedd gin i fymryn o bechod drosto fo; doedd o 'di gneud dim i haeddu cael ei faglu, ond pan ddudis i hynny wrth Sparks mi atebodd ynta mai dyna be oedd yn gneud y peth mor ffyni. Ma'n rhaid ei fod o reit ddigri 'fyd, achos oedd y genod i gyd yn eu dyblau, ond wedyn mi neith genod chwerthin ar rwbath.

Nes i ryw fath o anwybyddu Aminah drw'r dydd. Ddim 'mod i isho, ond bob tro o'n i'n ei gweld hi, a hitha'n gwenu, a finna'n gwenu'n ôl, oedd cyhyra 'ngwyneb i'n mynd i mewn i ryw fath o spasm wîyrd, ac o'n i'n cael ysfa sydyn i fynd i'r lle chwech. Mi wariais i ffortiwn ar gardia Santes Dwynwen 'fyd – oedd Ffrised Ffiseg yn gwerthu dau am bunt amser cinio. Mi nath o gyhoeddiad yn ystod y wers bora ma: 'Ma Eleri fy ngwraig yn gneud cardiau Cymraeg wyddoch chi – cardiau wedi eu gneud hefo llaw,' fath â tasan ni'n meddwl ei bod hi'n gneud nhw hefo'i thraed! Eniwe, brynais i ddau ohonyn nhw a rhoi un i Wil (welis i o'n ei sgwennu fo'n slei i'w fam). Dechreuis i gyfansoddi cerdd i Aminah, ond aeth hi'n rong yn y drydedd linell ac aeth y cardyn hwnnw i'r bin. Wedyn mi brynais i ddau arall (rhag ofn). Oedd yr ail yn swnio'n rhy ffurfiol, fath â taswn i'n sgwennu at ryw hen fodryb, ac mi sdiciodd Elfs jiwin-gym gwyrdd ar y trydydd. Prat. Dwi'n siŵr 'mod i 'di gwario ffeifar ar y cnafon, a rhyw betha go godog oeddan nhw eniwe; deud gwir, oeddan nhw *yn* edrych fath â tasan nhw wedi'u gneud hefo traed!

Ond oedd o yn werth yr ymdrech, achos pan gyrhaeddis i adra, oedd 'na gardyn bach wedi'i sdwffio i boced ochr fy mag i:

'I Matthew.

Ti sy'n dod â haul i 'mywyd i,

yn rhoi rheswm i mi godi yn y bore,

a rhoi rhywbeth i mi edrych ymlaen ato bob dydd.

Mae dy wefusau yn fy atgoffa i o rai Leonardo di Caprio.

Gobeithiaf eu cusanu'n fuan!

?

X X X'

Waw – ma Aminah'n fwy chwareus a mentrus mewn cardyn nag yn y cnawd! Leonardo di Caprio ia?

Dwi'n falch rŵan 'mod inna wedi rhoi un iddi hitha; mi redais i ar ei hôl hi ar ôl y gloch ola, a phlanu'r pumed cardyn yn ei dwylo hi. Mi wenodd hitha fath â plentyn ar fora Dolig a'i guddio fo'n sydyn. Wrth y car, dyma Tariq yn deud ei fod o wedi trefnu sypreis i mi ac Aminah heno (O God, dêt arall i dri yn y sinema, dim diolch! – oedd y peth cynta aeth drw 'meddwl i). Ddudodd o wrtha fi am fod ar y maes am wyth o'r gloch. Ma hi'n chwarter i wyth rŵan a ma'r smotyn nes i bigo yn y bath awr yn ôl yn dal i waedu. Stwffio fo, dwi'n mynd, smotyn neu beidio.

Be os ddudith hi na?

Be os ddudith hi ia?

Be di'r cwestiwn eto?!

Mmmmmmmmmmmm.

'Di ecseitio gormod i gysgu, 'di blino gormod i fanylu, ond mi dria i. Noson hudolus, gwên fawr wirion ar fy ngwyneb i o hyd, er gwaetha'r smotyn (Mam yn ama 'mod i ar ddrygs). Tariq 'di trefnu bwrdd i ni yn y lle byta Eidalaidd yn y dre (bwrdd i ddau mewn cornel dywyll – canhwylla, bloda bach gwyn, miwsig, mynydd o *bolognese* na fedrwn i prin ei gyffwrdd am fod fy mol i'n mynu gneud campa cangarŵ, gafael dwylo dan bwrdd, a hyd yn oed gwydryn o win gwyn yr un – am fod perchennog y lle yn fêt hefo Tariq, ac am ein bod ninna 'di gaddo bihafio).

Mae'n job anodd byta sbageti'n daclus ar y gora, heb sôn am pan 'dach chi'n dalp o nerfa, heb sôn am pan ma 'na hogan gôjys yn ista reit o'ch blaen chi a chitha'n methu tynnu'ch llgada oddi arni. Ma hi wastad yn edrych yn dlws, hyd yn oed yn ei gwisg ysgol pin-mewn-papur a'i phlethi hogan bach. Ond heno oedd hi'n eithriadol o hardd, ei chroen hi'n pefrio, a mwclis gloÿnnod byw bach bach rownd ei gwddw perffaith. Dwi'n siŵr 'mod i'n glafoerio dros fy mwyd. Ro'n i ar fin esgusodi fy hun i ddianc i'r lle chwech er mwyn seicio fy hun i fyny i ofyn iddi, pan ofynnodd hi gwestiwn i mi:

'Matthew, be am i ni fynd allan hefo'n gilydd?'

Mor syml â hynna.

Do'n i methu siarad.

Oedd hi'n gwenu'n llydan.

Dwi'm yn meddwl 'mod i rioed 'di teimlo mor hapus.

Ella na fydda i byth mor hapus eto.

'Swn i'n licio taswn i 'di gallu rhoi'r eiliad yna mewn potel, a'i chadw hi'n saff am byth.

'Wel?' medda hi, fymryn yn bryderus.

'Wel be?' meddwn inna.

'Wel be ti'n feddwl?'

Be o'n i'n feddwl? Do'n i'm yn meddwl dim byd. O'n i 'di anghofio'r cwestiwn! Ond o'n i'n cofio'r ateb:

'Wel ia… oes… byswn… gwnaf!'

Ac ar ôl yr ymosodiad bach yna o ddeiaria geiriol, mi gawson ni diramisŵ, sef pwdin siocled a hufen anhygoel, a siarad a siarad a siarad am bob dim tan oedd pawb arall wedi ei throi hi am adra. Wedyn mi gerddais i hi'n ôl i'w chartra. Yn yr ardd gefn, rhwng y walia glas, dan ola gwan y canhwylla bach, yn arogl cry y perlysia, mi gusanon ni'n hir. A sôn am gusan… ma arna i ofn trio'i disgrifio hi, rhag ofn i mi fethu; rhag ofn y bysa fo fath â phwyntio at enfys, ac y bysa hi'n diflannu. Ond 'na i byth anghofio ei gwyneb hi, a'r wên 'na, fath â tasa ni newydd rannu cyfrinach fwya'r bydysawd (ac mewn ffordd, dwi'n meddwl ein bod ni wedi). Wedyn mi ddechreuodd hi fwrw. Ddudon ni ddim nos da tan oeddan ni'n socian, ac yna mi redais i adra, ac o'n i'n teimlo fel taswn i'n hedfan.

'Mond newydd gael fy ngwynt ataf ydw i, ac ma 'nghalon i'n dal fath â jac-yn-y-bocs.

DWI'N MYND ALLAN HEFO AMINAH. MA AMINAH'N MYND ALLAN HEFO FI. MA AMINAH A MINNA'N MYND ALLAN HEFO'N GILYDD!

Bob tro dwi'n meddwl am y peth dwi'n gwenu fath â giât tu mewn a thu allan.

Ella dyliwn i gael tatŵ.

Ella bysa'n well i mi orffen sgwennu'r dyddiadur ma rŵan, achos no wê medar fy mywyd i fod dim gwell na hyn!

O.N: Un peth bach rhyfadd; ddudis i diolch wrth Aminah am y cardyn Santes Dwynwen, ac mi sbiodd hi'n wirion arna i, a rhoi cardyn arall i mi. Do'n i'm yn gwbod be i ddeud. Doedd hitha ddim chwaith. Ar ôl rhyw bump eiliad a hanner o ddistawrwydd annifyr, dyma fi'n chwerthin a deud mai jôc gin Sparks ac Elfs oedd o ma'n siŵr. Mi wenodd hi'n annwyl, ond doedd yr un ohonon ni'n dallt yn iawn. Dwi'n sbio arno fo rŵan hyn – y cardyn di-enw ffendis i yn fy mag. Di o'm yn llawysgrifen Wil na'r hogia, na Catrin Wyn na Donna chwaith (ddim y bysa nhw isho fy snogio fi eniwe). Garantîd mai sgwennu hogan ydy o 'fyd. Ond pwy ddiawl fysa'n fy ffansïo i? (Heblaw am Aminah, wrth gwrs). Pwy gebyst fysa'n meddwl 'mod i'n hyfryd ac yn haul eu bywyd nhw? (Heblaw Mam – a gwyn y gwêl y frân ei chyw bach plaen, dyslecsic, *dysfunctional* a ballu). Pa ffrîc sy'n meddwl bod gin i geg fath â Leonardo di Caprio? WIYRD.

Dydd Mercher, Ionawr 26ain

UFFERNOL O WIYRD. Weithia dwi'n teimlo mai fi di'r unig berson go iawn sy'n bod, ac ma robots milain, twyllodrus ydy pawb arall yn y byd, hyd yn oed Mam ac Aminah a Wil Wirion.

Ddeffris i pan ganodd y larwm, wedyn es i'n ôl i gysgu fel dwi'n neud bob bora (heblaw am fora Sadwrn neu Sul neu wylia). Wedyn, fel arfer, fydd Mam yn dod i weiddi arna i unwaith… ddwywaith… ac ar drydedd galwad y Ffog-horn Mamol – a bygythiad o ddŵr oer ar draws fy ngwep – mi fydda i'n codi wysg fy nhin. Ond waeddodd neb arna i bora ma. Deffres i hefo gwên fawr ar fy ngwyneb. Ond pharodd honno ddim yn hir pan sylweddolais i faint o'r gloch oedd hi: UGAIN MUNUD I UNARDDEG!

Dwi rioed 'di symud mor gyflym yn 'y mywyd. Trôns, trwsus, sgidia, grabio banana, a thaflu gweddill fy nillad amdanaf wrth i mi ei bomio hi am yr ysgol. A dim golwg o Mam na'i char yn nunlla. Pwy ddaeth i 'nghwfwr i yng nghyntedd yr ysgol (wrth gwrs) ond y Pyrf-athro. Oedd ei flewiach ffiaidd o'n twitsio (arwydd drwg).

'Matthew Parry? Pam nad oeddach chi yma am naw?'

DEILEMA!

Gonestrwydd – a'r gwir – a chael row?

Ta palu clwydda'n ddu-las a thrio achub fy nghroen?

Ond do'n i'm yn gwbod be oedd y gwir nag o'n? Doedd gin i'm syniad lle oedd Mam bora ma.

'Wel?' bytheiriodd y Pyrf-athro, a'i siani flewog o'n dawnsio dan ei drwyn o.

Oedd rhaid i mi ei ateb yn o handi neu mi fysa fo'n meddwl 'mod i'n cynllwynio rhyw dwyll (sef yn union be o'n i'n drio'i neud, wrth gwrs).

'Sori syr, sâl,' meddwn i yn y diwedd.

Mi saethodd o ergyd arall ar ei union: 'Ddaru'ch mam ffonio i roi gwybod i'r ysgrifenyddes?'

DIAWL O DDEILEMA!

O ateb 'do' ag ynta'n credu'r clwydda – *champion*.

O ateb 'do' ac ynta'n gwbod 'mod i'n palu clwydda – cachfa.

O ateb 'naddo' ac ynta'n cael myll hefo fi – cachfa.

O ateb 'naddo' ac ynta'n holi ymhellach – cachfa waeth byth – achos wedyn 'swn i'n gorfod adeiladu mwy o glwydda, yn uwch ac yn uwch ac yn uwch fel twr o gardiau tan i un cardyn bach ddechra woblo'n hegar a chwalu'r cwbwl lot ac wedyn fysa hi 'di canu arna i a fysa waeth i mi fod wedi deud y gwir o'r cychwyn cynta ddim.

O'n i ar ganol baglu drwy fonolog go giami pan redodd Jacanori drwy'r drws, ei wynt yn ei ddwrn, ei wallt hyd ei ddannedd, a'i grys o, wedi hanner ei gau'n

flêr, yn clasho'n waeth nag arfer hefo'i drwsus. Oedd
ynta'n edrych fath â tasa fo newydd neidio o'i wely.
Deud gwir, oedd 'na waeth golwg arno fo nag oedd
'na arna i. O'n i'n reit falch, achos ma athro hwyr yn
hoelio sylw'r Pyrf-athro'n fwy hyd yn oed na disgybl
hwyr.

'Jac?' holodd y mwstash.

Oedd monolog Jacanori hyd yn oed yn fwy
mymbliog na fy un i – ac ynta wastad yn pregethu
wrthan ni mewn gwersi drama am ynganu'n glir!

'Yyyy… Trên yn hwyr; lifft o'r yyy… o'r sdeshon
ac yyyy… traffig; ma'n ddrwg gin i, Brif-athro.' Yn
amlwg doedd Jacanori heb arfer deud clwydda gymaint
â fi (dwi 'di dysgu erbyn hyn bod un celwydd da yn
llawer mwy credadwy na lot o glwydda bach). Ro'n i
ar fin ei miglo hi o 'na'n reit handi pan ges i gip ar gar
run ffunud â char Mam yn gwibio o'r maes parcio i
gyfeiriad y dre. Mi sylwodd y Pyrf-athro ar yrrwr y car
hefyd, ac ar ôl mwytho ei hen flewiach am chydig,
dyma fo'n deud yn smyg-gyhuddgar:

'Hmmm, gweld bod ambell i hogyn drwg yn cael
blaenoriaeth dros y lleill bora ma!'   Mi gochodd
Jacanori, ac ro'n inna'n teimlo mor bathetig â lwmp o
faw ci yn y glaw.

'Di Mam heb neud dim byd ond ymddiheuro ers
dwi adra. Oedd Jacanori 'di mynd â hi allan am swpar
neithiwr… ar y trên… i Fanceinion! Ac wedyn 'di

mynd â hi i weld y sioe lwyfan *West Side Story* yn un o'r theatrau mawr (cynhyrchiad o'r West End). Mi ddaru o fynnu talu am bob dim, ac mi ddaru nhw aros mewn rhyw westy crand hefo pwll nofio a *saunas* a *jaccuzzis* a *waiters* oedd yn canu ac yn dawnsio ma'n siŵr. Dwi'm yn flin hefo nhw. Ond dwi'm yn hapus chwaith. Fysan nhw 'di gallu ffonio. A reit siŵr dwi'm yn barod i groesawu fy athro drama i 'mywyd personol i hefo breichia agored, heb sôn am isda ar ei lin o a gadael iddo fo 'mwydo i hefo Worthers' Originals a'i alw fo'n Dadi. Dwn i'm sut dwi'n teimlo am y peth. Mae o fath â dolur gwddw pan 'dach chi 'di bod yn sugno losinjis antiseptic afiach; dwi'm yn teimlo dim byd.

Ond dreuliais i amser cinio mewn breuddwyd braf, yn cerdded rownd yr ysgol yn gafael yn llaw hogan ora'r byd. Dwi rioed 'di teimlo mor falch o neb na dim. 'Swn i'n taeru 'mod i 'di tyfu troedfedd dros nos. Pwy fedra beidio cerdded yn gefnsyth, a nhwytha hefo tywysoges wrth eu hochor? Bob hyn a hyn, mi fyddwn i'n dal ein hadlewyrchiad mewn ffenast: dwy wên wirion. Ond bob tro bydden ni'n pasio athro neu athrawes, neu hyd yn oed staff cinio, mi fydda hi'n gollwng fy llaw i fath â tasa hi ar dân. Ond oedd hynna jyst yn ei neud o'n brafiach i gael ei chipio hi'n ôl pan fydden ni ar ein penna'n hunain eto.

Oedd Sparks ac Elfs yn chwibiannu'n hurt arnan ni,

fath â ffermwyr hefo cŵn defaid, tan gawson nhw ddigon a mynd am ffag. Mi gododd Wil Wirion ei fawd arnan ni bob tro ddaru ni ei basio fo – cerddad rownd ar ei ben ei hun oedd o, fel y bydd o bob amser. Oedd o'n od ac yn braf cerdded ochr-yn-ochr yn glòs hefo rhywun, a finna 'di arfer cadw hyd-braich oddi wrth ffrindia. Mi ddaru o neud i mi sylweddoli mor gul ydy coridors yr ysgol. Ddaru Linwen bron llorio Aminah hefo'i hysgwydd wrth iddi frysio heibio.

'Gwylia ble rwyt ti'n mynd nei di!' medda hi'n flin wrth frasgamu i ffwrdd.

Ond y peth mwya wiyrd ddigwyddodd heddiw oedd ymateb Tariq pnawn ma. Mi gerddais i Aminah at y car lle'r oedd o'n aros, a diolch iddo fo o waelod calon am drefnu'r wledd i ni neithiwr. Ddaru o ddim sbio arna i. Mi orchmynnodd o Aminah i fynd i mewn i'r car yn ei iaith ei hun, ac mi drodd ata finna hefo'r edrychiad butra ges i rioed gan neb. Ac i ffwrdd â fo heb air.

Dwi'm yn dallt. 'Mond bod yn gariadus (ond yn gwrtais) hefo'i chwaer o nes i; mynd â hi adra'n saff pan oedd hi isho, gadael pan oedd hi isho (ddim ei bod hi isho go iawn), gafael yn ei llaw hi pan oedd hi isho. Be oedd o'n ddisgwyl i mi'i neud? Gofyn am gael ei phriodi hi? O'n i'n ei amharchu o drwy anghofio rhyw ddefod angenrheidiol? Canu cân Punjabaidd yn moli ei phrydferthwch hi? Prynu gafr i'r teulu, fel arwydd o ddiolchgarwch? Gwisgo tyrban a bindhi a sefyll ar fy mhen? Feddyliais i wedyn tybed o'n i wedi cario baw i mewn i'w tŷ nhw neithiwr, a hitha wedi bwrw, ond o gofio, es i ddim i mewn i'r tŷ o gwbwl; mi adawis i drwy giât yr ardd gefn.

Mi holodd Mam be oedd yn bod ac am unwaith, mi ddudes i wrthi.

'Be ti'n ddisgwl – pobol o dramor ydyn nhw de; 'dyn nhw ddim run fath â chdi a fi sdi.' Ro'n i methu credu'r peth – hon oedd y ddynes fuodd yn gweld *West Side Story* neithiwr ddwytha! Diolch, Mam; lot o gysur.

Drama'n od heno – Jacanori fath â sombi (noson hwyr neithiwr ella?) ond oedd rhaid iddo fo fod yno achos heno oeddan ni'n bras-sgwennu sgript i'r ffilms – fydd yn cael eu ffilmio'r penwythnos yma. Enw'n ffilm ni ydy 'Bwlis Blin Brynheli'. Sparks feddyliodd amdano fo – teitl crap – ond hwnnw gaeth fwya o bleidleisia yn y grŵp (a hynny achos bod gin Wil a disgyblion blwyddyn 7 ormod o ofn Sparks i anghytuno hefo fo – democratiaeth o ddiawl).

Oeddan ni'n trio'n gora i ymarfer yr ymladd, fel bod pawb yn gwbod pryd oedd pob dwrn yn disgyn fel nad oedd neb yn cael ei frifo, ond oedd Linwen yn mynnu sgrechian bob dau funud – gan styrbio pawb arall a chyfranu at gur pen a hangofyr Jacanori. Llŷr-Rhy-Bur sy isho i'w chymeriad hi ddychryn yn ofnadwy mewn un olygfa; y drafferth oedd, bob tro oedd hi'n dychryn, oeddan ninna i gyd yn cael sioc farwol ar ein tina ac yn gorfod dechra eto. Es i at Linwen i dynnu coes ar y diwedd a deud wrthi am watsiad rhag iddi golli ei llais. Mi sbiodd arna i hefo llgada dynas flin mewn ffilm ddu-a-gwyn jyst cyn i'r miwsig dramatig foddi'r sain, a dyma hi'n deud: 'Paid â phoeni, Matthew, fi 'di arfer gyda phoen a cholled; galla i handlo fe!' Ac i ffwrdd â hi. Daeth Aminah ddim ar gyfyl y dosbarth drama heno, a finna 'di edrach ymlaen at ei gweld hi, a gofyn iddi be oedd yn bod ar Tariq pnawn ma ar ôl ysgol. Petha anwadal 'di genod. A brodyr, am wn i.

Dydd Iau, Ionawr 27ain

Ma'r smotyn 'di mynd, ond ma 'na betha lot hyllach 'di dod i'r wyneb. Ma 'na rywun 'di ymosod ar siop tad Aminah. Mam ddudodd wrtha i bora ma – oedd hi wedi clwad gan Jacanori, achos oedd tad Aminah wedi'i ffonio fo neithiwr i egluro pam nad oedd hi yn y dosbarth drama. Gytud. Mi redais i at gar Tariq bora ma i'w holi o be ddigwyddodd, ond mi rasiodd o i ffwrdd pan welodd o fi. Doedd Aminah ddim isho siarad am y peth chwaith; cwbwl ddudodd hi oedd ei bod hi 'di deffro ganol nos, echnos, wrth glywed sŵn gwydr yn torri. Oedd rhywun wedi taflu brics drwy ffenestri'r siop a'r tŷ, wedi chwalu jariau'r canhwyllau bach yn y cefn, a malu potiau'r perlysiau'n deilchion. Doedd y fandals, pwy bynnag oedd yn gyfrifol, heb adael run cliw ar eu holau. Yn waeth na dim, oeddan nhw wedi peintio slogan; yn flêr mewn coch ar y wal las oedd y geiria EWCH ADRA!

'Pam na ddudist ti wrtha fi ddoe?' gofynnais iddi hi amser cinio. Mi gododd ei sgwydda'n drist. 'A be dwi 'di neud i Tariq? Mi sbiodd o fath â brych arna i bora ma.' Mi sbiodd hi i lawr ar ei dwylo, ac wedyn sbio i ffwrdd i'r pellter. Mi wawriodd arna i. Rodd Tariq yn meddwl mai fi ddaru. Rodd o'n meddwl mai fi oedd 'di bod wrthi'n chwalu eu gardd hyfryd nhw a thorri ffenestri'r siop! Pam ddiawl byswn i isho gneud peth felly? Pam byswn i isho brifo'r hogan dwi'n meddwl y byd ohoni, a'r un dwi'n meddwl weithia 'mod i'n ei charu? O'n i 'di dychryn a 'di gwylltio gymaint fedrwn i ddim siarad. Mi afaelais yn ei dwylo hi ac mi dynnodd hi nhw'n ôl yn syth.

'Dwi'm i fod siarad hefo chdi,' medda hi, a lliw ei llgada hi'n ddiarth mwya sydyn.

'Ond 'dan ni'n mynd allan hefo'n gilydd!' meddwn i, er mai ddim dyna be o'n i isho'i ddeud, ond eniwe dyna ddoth allan.

'Nag ydan,' medda hi, 'ma Tariq 'di deud na chawn ni ddim.' Oedd fy nhu mewn i'n berwi rŵan, ac mi fyrlymodd bob dim o 'ngheg i:

'Be? A ma Tariq wastad yn iawn, ydy? Ma pob dim ma Tariq yn ei ddeud a'i feddwl yn sanctaidd, ydy? Pwy mae o'n 'i feddwl ydy o? Pwy wyt *ti'n* feddwl ydy o? Duw? *Allah*!?' Oedd llgada Aminah 'di llenwi. Do'n i'm isho'i brifo hi, ond o'n i isho iddi hi ddallt gymaint o'n i'n brifo. Nes i ddim meddwl be o'n i'n mynd i'w ddeud tan i mi'i ddeud o, ac erbyn i mi'i ddeud o oedd hi'n rhy hwyr i mi'i dynnu fo'n ôl. Dychrynais i fy hun hefo'r geiria: 'O'n i'n meddwl bod chdi'n fy nabod i. Ond ar ôl yr holl amser, ar ôl pob dim, ti'n dal i feddwl 'mod i 'di trasho dy gartra di! Ti'm yn fy nabod i o gwbwl. Ti'm yn fy nhrystio fi, a ti'm yn fy nallt i, a dwi'm isho bod hefo neb sy'n meddwl y medrwn i frifo rhywun dwi'n 'i garu… *Ro'n* i'n ei charu.'

Ac i ffwrdd â fi, heb wbod o'n i'n golygu'r un gair ro'n i 'di deud. Do'n i'n methu clwad dim byd am funuda, oedd fy mhen i fath â tasa fo'n llawn wadin. O'n i'n gwbod ei bod hi'n crio, ac am y tro cynta o'n i'n gwbod sut beth oedd teimlo 'nghalon i'n torri.

Ches i fawr o gydymdeimlad gin neb chwaith, 'mond pinsh yn fy nheth gan Elfs, a Sparks yn cymryd y *piss* am nad oedd gin i neb i afael yn fy llaw i rŵan. Mi ges i dyrtans gan Linwen drw'r dydd hefyd. Dwn i'm be sy'n bod ar honno; un munud ma hi'n wên deg i gyd ac yn glên hefo fi, a'r munud nesa ma hi'n sbio arna i fath â taswn i newydd gachu ar ei sgidia hi. Hwntw hurt.

Wil Wirion oedd yr unig un roddodd ronyn o gydymdeimlad i mi. Wel, dwn im os mai cydymdeimlad oedd o, ond mi fynnodd 'mod i'n cymryd un o'i sosij rôls o i ginio. Nes i'm ei gorffen hi. O'n i'n methu byta.

'Be sy, *worms*?' holodd Mam amser swpar.

'Naci. Cariad,' meddwn inna, a ddaru hi ddim byd ond gwenu'n ddoeth a deud: 'O, 'dan ni i gyd 'di bod trwy hen felin serch sdi 'ngwas i.'

Asu diolch o galon, dwi'n teimlo lot gwell. Cariwch chi 'mlaen i fwydro am 1957 tra dwi'n taflu fy hun oddi ar ben y garej.

Fory ar ôl ysgol, ma pawb sy'n gneud y ffilmia yn gorfod cyfarfod i ddangos y dillad ma nhw'n meddwl eu gwisgo. Hen lol wirion; neith pawb ond gwisgo'n union fel ma nhw isho yn y diwadd; ma pawb yn gwbod y bydd yr ysgol gyfa yn eu gweld nhw ar y sgrîn yn sdeddfod yr ysgol – fydd yr hogia i gyd isho edrych yn cŵl a'r genod i gyd isho edrych yn ddel, a fydd pawb 'mond yn edrych yn sdiwpid yn y diwadd, achos ma'r ffilmia i gyd yn *shit*. Heblaw un Aminah. Ond dwi'm yn siarad hefo hi, felly ddyliwn i ddim bod yn siarad amdani am wn i. Nag yn meddwl amdani. Ond mae'n uffernol o anodd meddwl am ddim byd arall. Bob tro dwi'n trio, ma fy meddwl i wastad yn ffendio'i ffordd yn ôl ati hi.

Ma Wil Wirion isho i mi fynd hefo fo i'r pictiwrs nos Sadwrn – 'i godi dy galon di' medda fo, ond dwi'n meddwl 'na 'i gadw cwmpeini i mi' oedd o'n feddwl go iawn. *Romantic comedy* ydy'r ffilm. Blydi grêt – jyst be dwi angen. Romantic blwmin comedi ydy 'mywyd i 'di mynd. A ma pawb arall yn meddwl ei fod o'n hilêriys. A mae o, 'mond ei bod hi'n uffernol o anodd chwerthin pan mai'r unig beth fedrwch chi'i neud yn iawn ydy crio.

Tu ôl i bob cwmwl du… ma 'na un arall mwy. Jyst pan ma rhywun yn meddwl na fedar petha fynd ddim gwaeth, ma gwaeth yn digwydd; ond ddim jyst chydig yn waeth – LOT yn waeth. Oedd y cachu 'di hitio'r ffan fel oedd hi, ond erbyn hyn ma holl garthffosiaeth Brynheli 'di hitio'r felin wynt, a gesiwch pwy sy ddigon lwcus i fod yn sefyll REIT odani hi?

Oedd hi 'di bod yn ddiwrnod hir fel oedd hi; 'mond pedair awr i neud ffilm gyfa, am bod grŵp Llŷr-Rhy-Bur 'di hogio camera'r ysgol drwy'r bora. Sôn am syrcas. Sparks ac Elfs fath â mwncwns gwyllt yn dyfeisio un artaith ar ôl y llall i'w pherfformio ar Wil Wirion druan, hwnnw ag ofn gwrthod rhag ofn iddo fo gael ei leinio, a phlant blwyddyn 7 i gyd fath â lloea glyb. Wir yr ma isho mynadd. Dwi 'di colli fy llais ar ôl bytheirio arnyn nhw drw'r dydd i actio fel tasan nhw'n fyw. Oedd 'na dri ar ddeg ohonyn nhw i gyd (rhif anlwcus) – digon i allu ffurfio gang reit gredadwy, ond oeddan nhw'n swnio fath â llygod bach pan oeddan nhw'n gweiddi, yn enwedig y genod: Bethan Ann a Kelly, Llinos, Sioned, a dwy Siân Eleri (fath â tasa un ddim yn ddigon). Doedd 'na fawr o fynd yn yr hogia chwaith; oedd Dewi, Dylan, Aeron a Tom fath â phedair rhech mewn pot jam; o leia mi oedd Ian Hughes a Siôn Richards a Gwyndaf yn trio (er nad oedd yr un ohonyn nhw'n gallu actio). Dwn i'm be ddiawl sy'n bod ar blant y dyddia yma, isho cic iawn yn eu tina nhw sydd. Ond doedd gin i ddim egni i gicio neb, er 'swn i 'di gallu cicio'n hun am fod mor wirion â chytuno i gyfarwyddo'r jamborî. Ddim 'mod i'n cael cyfarwyddo neb na dim rwân bod Sparks ac Elfs fath â rhyw Kray Brothers dieflig.

Oedd Jacanori i fod yn goruchwylio'r holl beth, ond oedd ei drwyn o yn ei ffôn fwy nag oedd o yn y ffilm – tecstio Mam oedd o 'mwn. Cenna. Doedd o ddim i'w weld yn malio bod Wil Wirion yn mynd drwy uffern o dan ei drwyn o. Oedd ganddo fo fwy o ddiddordeb mewn gwella perfformiadau blwyddyn 7 nag yn y ffaith bod tethi Wil Wirion yn boenus-binc rhwng y clipia crocodeil am dros ddeng munud. Yn y diwedd mi ga'th Jacanori lond bol ar actio piblyd Blwyddyn 7, felly mi driodd o dechneg oedd o'n ei galw'n *method acting*, sef trio cofio sut oeddach chi'n teimlo mewn sefyllfa debyg, ac actio felly. Oeddan nhw'n dal fath â lloea, a doedd Wil Wirion ddim yn gorfod gneud lot o actio; oedd hi'n amlwg i bawb bod y dioddefaint ar ei wyneb o'n hollol ddidwyll, ac oedd y golwg ar ei dethi fo, ar ôl tynnu'r clipia, yn ddigon i ddychryn unrhyw un. Dwn i'm faint o actio oedd Sparks ac Elfs yn ei neud chwaith; mond swingio eu batia *baseball* a deud '*yeah!*' ar ôl pob lein yn y sgript ddaru nhw.

Am mai ffilm fer oedd hi, dim ond tair artaith gawson ni gyfle i'w ffilmio. Mi ddaru Jacanori'n rhybuddio ni bod unrhyw beth oedd yn cynnwys piso, chwd neu anifeiliaid byw (doedd clipiau crocodeil ddim yn cyfri) yn hollol annerbyniol. Oedd Wil yn reit falch nad oedd o'n gorfod yfed pysgod bach na snortio powdwr cyri, a chwara teg – ddaru o ddim cwyno dim wrth orfod 'isda a y *waltzers* yn ei drôns am chwarter awr – er bod lliw ei wyneb o'n awgrymu rhywbath gwahanol.

'Dwi'n teimlo fath â hosan mewn peiriant golchi,' medda fo wrth gamu'n chwil oddi ar y reid. Mi oedd o'n edrych fel un hefyd. Cradur; eiliada wedyn mi gollodd ei gyd-bwysedd a syrthio'n erbyn bin cachu ci. Dwi'm isho cofio be ddigwyddodd wedyn.

'Fyddi di angen peiriant golchi rŵan, byddi, neu dod o hyd i gi i dy lyfu di'n lân!' medda Sparks, gan neud yn siŵr ei fod o yn y siot, ac am y tro cynta drwy'r dydd mi graciodd Blwyddyn 7 eu hwyneba.

Aeth Sparks ac Elfs â'r camera adra hefo nhw wedyn, i ffilmio golygfa'r bwlis yn cynllunio'r arteithion. Dyn â ŵyr sut beth fydd o; oeddan nhw'n bendant nad oeddan nhw isho fi ar gyfyl y lle, a doedd gin inna ddim mynadd hefo nhwytha chwaith. Rhyngddyn nhw a'u petha. Fi fydd yn golygu'r ffilm nos Fercher eniwe, felly ga i dorri pob dim dwi'm yn 'i licio bryd hynny, yn barod ar gyfer sdeddfod yr ysgol ddydd Gwener.

Be ddigwyddodd wedyn oedd yn boen tin. O'n i

fod i gyfarfod Wil yn y sinema (ar ôl iddo fo gael bath a dod ato fo'i hun) ac o'n i ar fy ffordd yno pan ges i decst ganddo fo: 'Sori, Matt, ddim yn teimlo 100 y 100. 'Di dod o hyd i rywun arall ddaw hefo chdi – fydd hi'n aros amdana chdi yn y cyntedd.' ˇ

Hi? Does bosib y bysa Wil wedi gyrru ei FAM am ddêt hefo fi?! O'n i ar fin troi 'nôl am adra pan darodd o fi: ella ma wedi gofyn i Aminah oedd o! Mi es i'n gynnes i gyd. Sôn am wych fysa hynny! Mi gawn i ddeud wrthi mai ddim fi ddaru ymosod ar y siop, deud wrthi 'mod i'n meddwl y byd ohoni, gymaint dwi'n ei charu hi. Fysa Wil wedi gallu perswadio Aminah i fynd ar ddêt hefo fi? Ella nad oedd o'n fawr o Romeo, ond tybed oedd o'n dipyn o Giwpid ar y slei?

Oedd fy meddwl a 'nghalon i'n rasio; mi redes i weddill y ffordd yno a chyrraedd y Plaza hefo 'ngwynt yn 'y nwrn. Oedd *trailers* y ffilm wedi cychwyn, a doedd 'na ddim golwg o neb yn y cyntedd. O'n i ar fin anobeithio – ella 'i bod hi wedi newid 'i meddwl – pan deimles i law ar fy ysgwydd. Llaw hogan. Mi afaeles i ynddi a throi hefo gwên lydan i wynebu… ddim Aminah. Ddim Aminah o gwbwl… ond Linwen! Mi ddechreuodd hi siarad cyn ces i gyfle i ddeud dim byd:

'Haia Matthew! *God* fi mor sori bo fi'n hwyr. Ma'n rhieni fi'n cael gwres canolog wedi'i osod yn y tŷ newydd wthnos hyn a do's dim dŵr twym 'da ni 'to, *so* ro'dd rhaid i fi fynd i dŷ ffrindie'n rhieni i gael bath; a fi'n dal heb ddod yn iwsd i'r dre, *so* es i *kind of* ar goll ar y ffordd ma, felly sori os ti 'di bod yn aros ma ers ache!'

Ro'n i ar fin deud ma newydd gyrraedd o'n inna ond oedd hi'n dal i siarad… ac yn dal i afael yn 'yn llaw i! Mi ollyngais i hi'n sydyn ac mi gariodd hitha mlaen i barablu:

'Ro'n i newydd fod yn y siop trin gwallt – yr un neis sy lawr ar bwys y ganolfan iechyd, a 'na ble weles i Wil, ac oedd e ar y ffordd at y doctor…' blablablaaaaa ayyb ayyb ayyb nes bod pob manylyn lleia fyw wedi'i adrodd, a finna'n clwad miwsig dechra'r ffilm yn chwara.

'Tyd ta!' meddwn i, ac i mewn â'r ddau ohonan ni a bustachu i fyny'r grisia yn y twllwch i ffendio sêt.

'Beth ma 'ddi ambwyti?' medda hi ar ôl i ni ista i lawr.

'E?'

'Beth ma 'ddi ambwyti?' medda hi wedyn yn uwch, fath â taswn i'n fyddar.

'Tua hannar 'di naw,' meddwn inna, a diolch i Dduw bod y ffilm yn dechra; dim bod hynny'n ddigon i gau ei cheg hi chwaith.

Oedd hyn yn wiyrd. Be gebyst o'n i'n neud ar ddêt hefo hwntw breplyd nad o'n i prin yn ei nabod, heb sôn am ei ffansïo? Sut ddiawl digwyddodd hynna? Ond, mi oedd 'na rwbath llawer mwy wiyrd i ddod. Tua hanner ffordd drw'r ffilm dyma fi'n dechra ei theimlo hi'n symud yn nes ata i. Oedd hyn yn od achos doedd hi'm yn ffilm ddychrynllyd nac yn drist. Ma'n rhaid mai oer oedd hi, feddyliais i wrtha fi'n hun... ond yr eiliad nesa oedd 'na law gynnes ar fy nhoes i, a gwynt poeth blas mefus yn 'y nghlust i'n sibrwd: 'Gest ti'n ngharden i, de?' Mi gymrodd hi sbelan iddo fo sincio i mewn. CARDYN SANTES DWYNWEN! Hi oedd wedi rhoi'r cardyn di-enw yn fy mag i! Linwen! Mi lyncais i'n galed a theimlo ias annifyr yn mynd i lawr fy nghefn.

'Wel? Gest ti'r garden?' holodd hi wedyn, yn uwch.

'Do,' meddwn inna mewn llais llgodan fach... 'dwi'n meddwl.'

'O't ti'n hoffi'r gerdd?'

Be fedrwn i ddeud? Do'n i'm isho ypsetio'r seico o'r sowth oedd â'i gwinedd hir pinc dim ond modfeddi o 'ngheillia i, nag o'n?

'Y... y gerdd... O'n... o'n tad!'

'Fi'n rîli hoffi ti 'fyd Matthew,' medda hi, 'a fi'n credu bod ti wedi neud y peth iawn yn bennu 'da Amani er mwyn mynd mas 'da fi.'

BE?! Amani wir, Aminah oedd hi'n feddwl. A lle ddiawl ga'th hi'r syniad yna? Ar hynny, mi wyrodd ei gwefusa sgleiniog tuag at fy rhai i, ac ar yr eiliad honno, drwy ryw ryfedd wyrth, mi orffennodd y ffilm. O'n i mor falch bod yr artaith drosodd, a 'mod i'n rhydd, ac wedi llwyddo i osgoi'r gusan glosi, mi godais i ar fy nhraed a dechra clapio'n uchel! Wedyn dyma fi'n brasgamu am y fynedfa, gan drio bod yn gwrtais heb fod yn or-gyfeillgar hefo Linwen wrth ffarwelio (tric dwi 'di ddysgu wrth wylio digon o *thrillers* seicolegol – byddwch yn neis wrth y seico… ond ddim yn rhy neis).

'Wel, nos da 'ŵan,' meddwn i'n ffwr-â-hi a throi am adra.

'Ti ddim moyn mynd am pizza neu goffi neu rywbeth?' medda hitha.

'Na… fysa well i mi beidio,' meddwn inna, 'dwi'n *allergic* i gaffîn… a gwenith… ta-ra 'ŵan.' Do'n i mond 'di symud dau gam pan deimlais i winedd hir yn fy nhroelli fi rownd gerfydd fy mraich, a dwy wefus lip-glosaidd ludiog yn ymosod ar fy rhai i. Cyn i mi fedru protestio, oedd Linwen yn gafael amdana i fath â gelen ac yn fy snogio i fath â sgodyn sugno! A'r cwbwl welwn i dros ei hysgwydd hi oedd llygaid duon Tariq yn 'y ngwylio i drwy ffenest ei gar.

'NAAAAAAA!' meddwn i, a rhwgo fy hun o'r slefren fôr seicotig. O'n i'n gweiddi ar dop fy llais: 'Tydy hi'n neb! Mistêc 'di o i gyd, Tariq! Wir yr, dwi prin yn nabod y gloman!' Ar hynny mi glywais i sgrech teiars yn sgrialu i ffwrdd, ac mi deimlais i slap fath â sosban boeth ar draws fy ngwep.

'Y mwlsyn diawl! Fi'n gwybod beth mae 'gloman' yn meddwl i chi Gogs!' A ma gin inna syniad go lew be ma 'mwlsyn' yn ei feddwl i Hwntws 'fyd.

Cachgawlfa os buo 'na un erioed.

Dydd Llun, 31ain Ionawr

Dwrnod ola'r mis. Y mis gora a'r gwaetha yn 'y mywyd i (hyd yn hyn).

Doedd 'na'm golwg ohoni hi yn nunlla amser cinio, a phan gerddodd hi heibio fi rhwng gwersi, ddaru hi ddim hyd yn oed sbio arna i. Fy anwybyddu fi'n llwyr, ei gwyneb hi'n oer ac yn dynn, dim byd tebyg i'r Aminah annwyl dwi'n 'i nabod.

Mi wylltiais yn y diwadd; be ddiawl o'n i 'di neud i haeddu hyn? O'n i'n gwbod mai Ffrangeg oedd ei gwers ola hi, felly nes i aros amdani, a phan gerddodd heibio am y canfed tro heb hyd yn oed edrych arna i, mi afaelais yn ei hysgwydda hi a'i gorfodi i fy wynebu i.

'Hei, be sy?' meddwn i.

'Dwi'm isho siarad hefo chdi,' medda hitha, ei llgada hi'n fflachio.

'Nag wyt, mi fedra i weld hynny!' Oedd hi'n anodd peidio â bod yn sarcastig a finna mor flin.

'Ti ddim fy angen i, Matthew; ma gin ti bobol erill fedar gadw cwmni i chdi, mynd allan hefo chdi, dy gusanu di… ' Yn sydyn mi wawriodd arna i. Y Plaza. Linwen. Cac ar dôst. Nid yn unig oedd hi'n meddwl 'mod i'n fandal hiliol, oedd hi rŵan yn meddwl 'mod i'n fandal hiliol tw-teiming!

'Ond ddim dyna oedd… Do'n i'm yn… Fyswn i byth!' Oedd y deiaria geiriol yn ei ôl.

'Ond mi nest ti!'

Mi ddiflannodd hi cyn i'w llgada hi lenwi. Ond mi welis i nhw. Dwi'n dal i'w gweld nhw.

NOS fawrth, chwefror 1af - pwniae bys cynta'r mis.

Pwniwch fi i fy neffro i o'r hunlla hylla ges i rioed.

Ma Aminah'n symud i fyw. Hi a'i theulu. I Bradford.
Ma Aminah'n symud i fyw. Hi a'i theulu. I Bradford.
Ma Aminah'n symud i fyw. Hi a'i theulu. I Bradford.
Ma Aminah'n symud i fyw. Hi a'i theulu. I Bradford.
Ma Aminah'n symud i fyw. Hi a'i theulu. I Bradford.
Ma Aminah'n symud i fyw. Hi a'i theulu. I Bradford.
Ma Aminah'n symud i fyw. Hi a'i theulu. I Bradford.
Ma Aminah'n symud i fyw. Hi a'i theulu. I Bradford.
Ma Aminah'n symud i fyw. Hi a'i theulu. I Bradford.
Ma Aminah'n symud i fyw. Hi a'i theulu. I Bradford.
Ma Aminah'n symud i fyw. Hi a'i theulu. I Bradford.
Ma Aminah'n symud i fyw. Hi a'i theulu. I Bradford.

B R A D F O R D !

Dwi'n dal yn methu credu'r peth.

Mi fuo 'na ymosodiad arall ar siop tad Aminah neithiwr; ond tro ma mi gafodd petha eu dwyn, ac mi ddaru'r fandaliaid racsio car Tariq a sgwennu petha ffiaidd ar hyd drws y tŷ, hefo'r un paent coch ag o'r blaen. Wil welodd y stori yn y papur. Ma'r teulu i gyd yn symud i ffwrdd i fyw o fewn y mis. Ma ganddyn nhw berthnasa yn Bradford, a ma 'na gymuned fawr o bobol Indiaidd a Phacistani yn byw yno ers y 60au yn ôl pob sôn. Dwi'm yn gweld bai arnyn nhw am fod isho rhedeg i ffwr. Ond mae o'n torri 'nghalon i eu bod nhw'n meddwl bod gen i rwbath i neud hefo be ddigwyddodd. Fyswn i'm yn gneud rhwbath fel 'na i neb, heb sôn am i deulu'r hogan dwi'n ei charu.

Dries i gael gair hefo hi amser cinio ond mi ges i hwth i'r ochor gin Cartin Wyn.

'Os tisho tw-teimio Aminah hefo ast o'r sowth, GNA, ond paid â disgwl cei di siarad hefo hi fath â tasa 'na bygyr ôl 'di digwydd, IAWN?'

Ond doedd 'na bygyr ôl *wedi* digwydd! Ddudis i ddim o hynny chwaith neu 'swn i di cael swdwl Catrin Wyn yn rwla diawledig o boenus.

'Di hi'n dal ddim yn siarad hefo fi. Ella na neith hi byth siarad hefo fi eto. 'Di hi prin yn sbio arna i, a phan ma hi, ma'i llgada hi fath â tasa nhw'n sbio drwydda i, ar rywun arall. Dwi 'di trio, ond fedra i'm mynd ar ei chyfyl hi heb i Catrin Wyn a Donna fy herio fi fath â rhyw ddwy fownsar flin. Ac i neud petha'n waeth, ma Linwen 'di dechra ymddangos yn annisgwyl rownd corneli, wrth ymyl fy locer i, tu ôl i mi yn y ciw cinio a ballu. A ma hi wastad yn gwenu arna i. A ma'i gwên hi wastad yn 'y nychryn i braidd achos ma'i gwefusa hi mor sgleiniog, fath â ceg rhyw alien sy newydd fyta gliw gliter i frecwast. Ma hi'n fy atgoffa i dipyn bach o'r Seico Addysg; (ond mai, lipstic brown baw mochyn oedd gin honno, ddim pinc). A ma hi'n gofyn lot o gwestiyna hefyd, fath ag oedd y Seico Addysg yn ei neud. Nath hi hyd yn oed ofyn i mi be dwi'n i neud dydd Sadwrn.

'Yyyyyyy… ' meddwn i, 'dwi'm yn gwbod.' Ond dwi'n gwbod yn iawn be fydda i'n neud dros wîcend: brifo, crio, a chysgu.

Dwi newydd ffendio map o Loegr ar y Wê. Ma Bradford yn uffernol o bell.

Dydd Merchar, Chwefror 2il

Fedra i'm credu be dwi newydd ei weld. Dwi'n teimlo fath â tasa'r byd i gyd wedi chwarae jôc arna i, a dwi newydd gael y *punchline* yn galed yn fy stumog. Sut medra i drystio neb byth eto? Be 'dach chi'n neud pan ma'r bobol 'dach chi'n meddwl 'dach chi'n nabod ora yn y byd yn gneud petha ofnadwy? Petha 'sa chi byth 'di dychmygu y bysan nhw'n gallu, nag isho'u gneud.

Dyma ddigwyddodd. Mi ddaeth Jacanori draw ddwyawr yn ôl i ddangos i mi sut i olygu'r ffilm; ma ganddo fo raglen gyfrifiadur arbennig sy'n gadael i chi'i neud o ar eich laptop. Do'n i fawr o dro yn dysgu; oedd o'n eitha hawdd, ac oedd Jacanori'n amyneddgar, chwara teg. Ma golygu fath â gwylio ffilm, ond bod y golygfeydd i gyd allan o drefn; a chi eich hun sy'n gorfod eu gosod nhw yn y drefn 'dach chi isho, fath â jig-sô sy'n symud.

Eniwe, ar ôl gwers fach a chanmoliaeth dadol (crinj) aeth o i lawr i siarad hefo Mam a 'ngadael i'n fama yn ffidlan. A fama o'n i wrthi'n pendroni p'run ai fysa Wil Wirion yn madda i mi taswn i'n dangos y darn o'r ffilm pan mae o'n baglu dros y bin cachu ci… pan welis i o. Mond am eiliad neu ddwy oedd o yn y siot, ond oedd hynny'n ddigon. Un o *drainers* Elfs. Stribed bach o baent ar gefn y waden; bron na fysach chi'n sylwi arno fo, ond mi nes i. Paent coch. Mi rewais i, ac mi rewais i'r ffrâm, a'i chwara fo'n ôl. Oedd, yn bendant, mi oedd 'na baent coch ar esgid Elfs; coch fel paent y fandals.

Es i'n swp sâl. Dwi'n dal i deimlo'n sâl. Ond be welis i wedyn oedd y sioc go iawn. Doedd Sparks ac Elfs rioed 'di defnyddio camera fideo o'r blaen, ond mi fynnon nhw fynd ag o adra hefo nhw nos Sadwrn i ffilmio golygfa'r bwlis yn cynllunio. Oeddan nhw 'di gneud joban go lew 'fyd, er eu bod nhw wedi gorfod ailgychwyn rhyw ddwywaith am fod Elfs 'di cael gigyls. Ar ddiwedd yr olygfa, dyma Sparks yn deud wrth Elfs am ddiffodd y camera, ac mi bwysodd hwnnw'r botwm anghywir; y botwm *zoom* yn lle'r botwm pŵer. Mi aeth y siot yn agosach, ond ddaru'r camera ddim diffodd. Oedd be welis i ar y sgrîn a be glywis i wedyn, yn ddigon i godi gwallt 'y mhen i. Dwi wedi'i wylio a'i ail-wylio fo bedair gwaith, a fedra i ddim credu'n llgaga na 'nghlustia. Dyma'r sgwrs, air am air:

SPARKS: Tyd i ni gael sortio be 'dan ni'n mynd i
neud nesa. Rhaid iddo fo fod yn fwy tro ma—
'mond eu dychryn nhw ddaru ni tro dwytha.

ELFS: O's rhaid i ni neud o eto, Sparks?

SPARKS: Oes siŵr! Tydy unwaith ddim yn ddigon;
rhaid i ni ddangos iddyn nhw'n bod ni'n
siriys. Nos Lun amdani. Ma Dad mewn
cwis yn y pyb — fydd o allan o'r tŷ am oria

ac mi gawn ni iwsho 'i sdwff o eto – fydd o'm callach.

ELFS: Be am dy fam?

SPARKS: Ma Mam yn casáu'u gyts nhw. 'Di hi'm isho gweld lliw eu tina nhw byth eto. Dwi'm yn ama bysa hi'n dŵad hefo ni i helpu tasan ni'n gofyn iddi!

ELFS: Be tasan ni'n cael ein dal?

SPARKS: Pwy sy'n mynd i'n dal ni? Cops? Ma rheiny bron â thorri'u bolia isho cael gwared ar y diawlad 'u hunain!

ELFS: Ond be os byddan nhw'n aros amdanan ni? Be os bydd ganddyn nhw *machettes* a gynna?

SPARKS: Y Findalŵs?! Cym off it, Elfs – pobol bach ddiniwad, henffash ydyn nhw! Go brin bod ganddyn nhw hwfyr heb sôn am wn!

ELFS: Ond Sparks, os mai jyst pobol bach ddiniwed ydyn nhw, pam 'dan ni'n boddran? Pam 'dan ni'n wastio'n hamsar yn neud rhwbath mor beryg?

SPARKS: Am 'i fod o'n laff de. *God*, ti 'di mynd yn boring, do? Be sy? Ofn bod yn hogyn drwg? Ofn pechu a chael dy ddal?

ELFS: Sgin i'm ofn, iawn! Dwi jyst ddim isho mynd i drwbwl am ddim byd.

SPARKS: Dyna ddudodd Wil Wirion… a sbia be ddigwyddodd iddo fo.

SAIB

ELFS: Ella mai fo oedd yn iawn. Dw inna'n dechra difaru cymryd rhan yn dy antur bach di.

SPARKS: Wel mi nest ti, do Elfs. Achos ma dy dad titha 'di cael digon ar bobol o 'ffwr yn dwyn ein busnes ni dan ein trwyna ni, dwyn ein ffrindia ni oddi wrthan ni. Oedd Matt yn fêt da tan iddo fo ddechra mela hefo'r hogan 'na. Blydi drama 'di 'i neud o'n sofft, a 'di troi Wil Wirion yn bwff. Does rhyfedd hefo'r jigalo jocar 'na'n rhedeg y sioe. A ti'n gwbod ei fod o 'di mynd â Mam Matt i Manchester am *dirty night out* Santes Dwynwen, dwyt?

Fedrwn i ddim gwrando ar ddim mwy. Dwn i'm be i'w feddwl na be i'w gredu. Ond dwi'n gwbod yn union sut dwi'n teimlo. Ac am y tro cynta 'leni dwi'n gwbod yn union be sy rhaid i mi'i neud.

NOS Wener, Chwefror 4y22

Weithia ma rhywun yn gallu byw am fisoedd heb *fyw*
go iawn. Dro arall mi fedar rhywun fyw mwy mewn
diwrnod nag y mae o 'di'i neud mewn blwyddyn gyfa.
Diwrnod felly oedd heddiw. Diwrnod fydd wedi'i
fframio ar wal fy meddwl i am byth.

Sdeddfod yr ysgol: y pantomeim arferol o liwia a
gweiddi a nyrfs a cholli a chael cam a dathlu a chael laff
a'r athrawon nafflyd yn trio bod yn cŵl drwy gymryd
rhan yn y gân bop. Y Mynydd Grug a Ffrised Ffiseg
oedd wrthi leni – fath â Sonny a Cher – hi mewn *bell-
bottoms* erchyll o dynn, ac ynta mewn crys agored, yn
arddangos ei frest ffrisi-flewog fath â rhyw fwnci
geriatric; a'r ddau yn morio 'Ti a mi, del!' sef ei
chyfieithiad cachlyd hi o '*I got you, babe*'. CRINJ ta be.
Oedd pawb yn meddwl mai dyna fysa'r uchafbwynt
(neu'r isafbwynt) fel pob blwyddyn arall. Ond nid leni.
Achos oedd 'na ambell i sioc i ddod nad oedd neb, hyd
yn oed fi, yn ei ddisgwl.

Yn Llys Ceiriog o'n i – gwyrdd. Yn llys Gwernydd
– melyn – oedd Aminah, felly oedd hi'n ista mewn
bloc ar wahân i mi yn y neuadd. Ddim y bysa hi 'di ista
hefo fi beth bynnag ar ôl yr holl lanast diweddar.
Neutha hi ddim hyd yn oed sbio arna i. Mi ga'th hi
gynta am ganu unawd, ac oedd hi'n wych. Mi ddaru
hi wenu ar ddiwedd y gân, ond doedd hi ddim yn wên

go iawn; doedd hi ddim yn cyrraedd ei llgada hi.

Jacanori ddaeth ymlaen i gyflwyno'r gystadleuaeth ffilmiau, ac ar ôl malu cachu am bwysigrwydd esblygu sdeddfod yr ysgol (esblygu deinosor? *Yeah right*) mi rybuddiodd o y gallasai rhai o aelodau'r ysgol deimlo bod peth o'r deunydd yn ddi-chwaeth. Mi welis i Sparks ac Elfs yn pwnio'i gilydd ac yn piffian chwerthin. Wedyn mi atgoffodd Jacanori ni o'r wobr: nid yn unig 20 o farciau ychwanegol i'r llys buddugol, ond hefyd cael mynychu'r cwrs ffilmiau yng Nghaerdydd.

Ffilm Llŷr-Rhy-Bur oedd y gynta i gael ei dangos. Rhyw stori ddi-ddim am Linwen yn colli ei nain (neu ei 'Mam-giiiiiiii' fel oedd hi'n mynnu ei snwffian drwy gydol y peth). Oedd hi i fod yn drist ofnadwy, ond nain Llŷr (yn amlwg yn erbyn rheolau cystadlu) oedd yr actores oedd yn chwara'r Fam-giiiiiiiiii ac oedd hi'n swnio tua tair canrif oed ac yn methu ynganu'n glir heb i'w dannedd gosod hi fygwth syrthio o'i cheg. Ar ben hyn, oedd Linwen yn mynd am Oscar hefo'i pherfformiad. Dim blewyn o gynildeb, a ddaru hi hyd yn oed edrych i mewn i'r camera unwaith neu ddwy, i neud yn siŵr ein bod ni'n gweld MOR DRIST oedd hi, ac eto MOR DDENIADOL ar yr un pryd. Oedd o'n hilêriys; dyna lle oedd yr hen wreigan yn actio bod ar ei gwely angau (er, dwn i'm os mai actio oedd hi chwaith), tra oedd Linwen yn poeni mwy am y dagrau ffals yn smyjo ei mascara. Oedd lot ohonan ni yn ein dyblau, ac yn trio cuddio hynny, oedd yn gneud y peth yn waeth. Yn y diwadd dyma Linwen yn troi ac yn arthio arnan ni: 'Caewch eich penne, newch chi, chi ond yn *jealous* achos 'mod i'n gellid acto a bo chi ddim!' Ma'n rhaid i mi ddeud ei fod o'n lot brafiach cael Linwen yn flin hefo fi nag ydy o i'w chael hi'n glafoerio dros fy sgidia i fath â seico. Ma'n well cael slap na sws gin rai pobol.

Ffilm Aminah oedd nesa. Mi drois i rownd i ddeud 'Pob lwc' wrthi, ond oedd hi'n sbio'n syth yn ei blaen. Pan ma hi'n edrych fel 'na dyna pryd dwi isho gafael amdani fwya. Yr adega ma hi bella oddi wrtha i ydy'r adega pan dwi'n ysu am fod yn agos ati hi. Ta waeth, oedd ei ffilm hi'n wych – oedd hi wedi cael pob aelod o'i grŵp i ddewis eu lliw gora, a deud pam. Oedd lleisiau pawb yn cyd-fynd hefo siot o'r lliw arbennig hwnnw, mewn gwahanol lefydd yn ei chartra hi. Oedd un yn licio glas, a dyma ddangos Sarih ei mam yn sgleinio yn yr haul, a wal las yr ardd fach tu ôl iddi (hefo sgerbwd y slogan coch yn dal yn amlwg). Hoff liw rhywun arall oedd melyn, a phryd hynny mi ddangosodd siot o'i thad yn llenwi oergell y siop hefo menyn, gan wenu'n swil wrth ei waith, a wedyn y canhwyllau bach melyn yn hongian tu allan (er bod ambell un ohonyn nhw ar goll) – ac wrth gwrs mi gafwyd bonllefau o gymeradwyaeth am mai melyn oedd lliw llys Gwernydd.

Ein ffilm ni oedd nesa, ac mi fedrwn i weld Sparks ac Elfs yn sythu yn eu seti, yn ysu am gael gweld eu hunain ar y sgrîn fawr. Oedd Wil, ynta'n gwingo; un peth oedd cael eich gwneud i edrych yn ffŵl, peth arall oedd cael eich gweld yn ffŵl o flaen yr ysgol gyfa! Mi aeth pawb yn ddistaw wrth i'r ffilm gychwyn. Mi lyncais i fy mhoer; o'n i'n gwbod ym mêr fy môls na fyddai 'mywyd i byth run fath eto ar ôl hyn. Siot o Sparks ac Elfs yn cynllwynio fel y bwlis. Ro'n i wedi torri'r darnau pan oeddan nhw'n crybwyll y gwahanol arteithion; dim ond cyfeiriadau cyffredinol at 'y cynllun' oedd yn y ffilm. Oedd pawb yn mwynhau, ac yn dallt y jôcs, ac yn chwerthin yn y llefydd iawn. Wedyn, oedd y ffilm yn torri'n sydyn i'r llun oedd yn y papur newydd o'r difrod yn siop tad Aminah. Aeth pawb yn hollol fud. Mi drodd ambell un i edrych ar Aminah. Mi rewodd Sparks ac Elfs yn eu hunfan, heb sbio arna i. Wedyn, ar ôl chydig eiliadau o'r llun, oedd y ffilm yn torri i'r olygfa gyfrinachol – yr un nad oedd Sparks ac Elfs yn gwbod ei bod hi ar y tâp:

SPARKS: Tyd i ni gael sortio be 'dan ni'n mynd i neud nesa. Rhaid iddo fo fod yn fwy tro ma– 'mond eu dychryn nhw ddaru ni tro dwytha.

ELFS: O's rhaid i ni neud o eto, Sparks?

SPARKS: Oes siŵr! Tydy unwaith ddim yn ddigon; rhaid i ni ddangos iddyn nhw'n bod ni'n siriys.

Oedd 'na ambell i ebychiad yn y gynulleidfa, ac mi glywis i Sparks yn troi at Elfs ac yn poeri rheg yn ei glust o. O'n i wedi gadael i'r tâp redeg hyd ddiwedd un y sgwrs:

SPARKS: Dim *racism* ydy o'r prat! Synnwyr cyffredin 'dio! Ni oedd yma gynta. Os na 'nawn ni rwbath am y peth, y Findalŵs fydd yn rhedeg yr holl blydi sioe!

Ar ddiwedd y ffilm oedd 'na rhyw dair eiliad o Sparks ac Elfs yn chwerthin yn orffwyll, wedi'i ail-adrodd drosodd a throsodd yn uwch ac yn uwch fel eu bod nhw'n swnio'n eitha gwallgo a diafolaidd yn y diwadd.

Pan aeth y sgrin yn ddu, mi deimlais i 'nghalon yn curo a'n sgyfaint i'n anadlu am y tro cynta ers munuda. O'n i'n gawl o ryddhad ac ofn. Fuo neuadd ysgol Brynheli ERIOED mor dawel – fysa ch'di'n gallu clywed rhech pry. Mi drois i rownd i sbio ar Aminah. Oedd hi'n beichio crio'n ddistaw, ei phen hi wedi'i blanu ar ysgwydd Catrin Wyn a hitha'n trio'i chysuro hi. Doedd o'm yn fwriad gen i i'w brifo hi; dyna'r peth ola o'n isho'i neud. Ond mi ro'n i isho iddi hi wbod y gwir; am yr ymosodiad, ac am bobol yn gyffredinol. Yn fwy na dim, o'n i isho iddi wbod y gwir amdana i.

Er 'mod i'n meddwl bod ffilm Aminah yn wych, a'i bod hi'n haeddu ennill, pan gododd môr o gardiau gwyrdd o'n cwmpas ni, a boddi'r melyn a'r coch, o'n

i'n falch mai ni gurodd. 'Y gwir sydd drechaf', fel
bydda Nain yn ei ddeud erstalwm; a dwi'n meddwl
bod y gwir yn bwysicach nag ennill i Aminah.

Mi ddaru'r Pyrf-athro hebrwng Sparks ac Elfs i'w
swyddfa'n syth. Oedd o un ai isho rhoi Tystysgrif
Rhagoriaeth iddyn nhw am yr actio mwya naturiol
welwyd erioed yn hanes y sdeddfod, neu am roi
HYMDINGAR o row iddyn nhw cyn ffonio'r
heddlu. Dwi mond yn gobeithio y byddan nhw'n cael
beth bynnag ma nhw'n 'i haeddu.

O'n i'n meddwl mai dyna fydda uchafbwynt y
diwrnod, ond mi oedd 'na un sypreis bach arall i ddod.
Mi ges i mensh am fy ngherdd 'dywyll, deimladwy,
gofiadwy' yng nghystadlaeaeth y goron! Ond ddim fi
gurodd chwaith (diolch byth!) achos oedd y beirniad,
sef rhyw awdures ganol oed oedd yn arfer dysgu yn yr
ysgol, wedi gwirioni hefo'r darn buddugol – sef llythyr
oedd yr awdur wedi'i sgwennu iddo fo'i hun, yn ei
gysuro i beidio â phoeni bod bywyd yn brifo ar hyn o
bryd, gan y byddai petha'n siŵr o wella yn y dyfodol.
Oedd pawb yn disgwyl mai un o swots blwyddyn deg
fysa'r awdur anrhydeddus... ond pwy gododd ar ei
draed ar alwad y corn gwlad... ond Wil Wirion!

Mi ges i sioc ar fy nhin. O'n i mor falch ohono fo.
Mi godais i ar fy nhraed a gweiddi 'GO DDA WIL –
NICE ONE!' a chlapio'n wyllt a gwenu fath â rhyw
fam eisteddfodol obsesif. Wrth gwrs, doedd y goron

ddim yn ffitio pen Wil; oedd hi'n rhy fach, neu bod pen Wil yn rhy fawr, ond yn lle'r chwerthin a'r tynnu coes arferol, mi ga'th o jîars anferthol am lwyddo i gerdded yn ôl i'w sêt heb i'r gnawes syrthio oddi ar ei ben!

Welis i ddim o Aminah na'r ddau ddihiryn wedyn, ond mi gafodd Wil a finna goblyn o hwyl ar ôl rysgol, yn malu cachu a byta candi fflos yn y ffair, ac ynta'n GORFOD cadw'r goron ar ei ben ar bob un reid – hyd yn oed y *waltzers*! Fo a fi sy'n cael mynd ar y cwrs ffilm fis nesa – eidîal!

'Diolch, Matt,' medda fo wrtha i ar y ffordd adra.

'Am be, dŵad?'

'Am beidio â gneud i mi edrych yn wirion,' medda fo, 'ac am fod yn fêt.'

O'n i'n ddiawledig o falch nad oedd Mam yno, achos garantîd y bysa hi'n beichio crio a churo'i dwylo fel y bydd hi yn y sinema ar ddiwedd ffilm drist bob tro.

'Iawn siŵr, Wil... Wirion!' meddwn inna, a dyma'r ddau ohona ni'n chwerthin am y milfed tro.

Dydd Sul, Chwefror 6ed

Ddaeth cnoc ar y drws y bora ma – Tariq. Wedi galw
heibio i ddiolch i mi am y ffilm, ac i ymddiheuro. Mi
ddaeth o i mewn am banad.

'Mam, dyma Tariq, brawd Aminah.'

Oedd hi'n reit betrus wrth ysgwyd ei law o.

'O... o helô, Terry, croeso, *welcome*. Dach chi'n
aros i ginio? Sgynnon ni'm cyri, ma gin i ofn, ond ma
gin i *quiche* lyfli yn y ffrij.' Diolch byth bod ganddo fo
synnwyr digrifwch.

Mi ddaeth o â llythyr i mi gan Aminah. Mae o'r
peth hardda, mwya gonast 'dwi rioed wedi'i ddarllen.
Ma hi'n fy ngwadd i draw am swpar nos Fawrth; ma'r
teulu isho diolch i mi. Ma nhw'n dal i drafod Bradford,
ond does 'na ddim byd yn bendant ar hyn o bryd. Ma
hi'n deud bod ganddi hiraeth amdana i, a'i bod hi 'di
bod yn fyrbwyll. Chwara teg iddi am weld bai arni hi
'i hun; does 'na'm llawar o genod dwi'n nabod sy'n
fodlon cyfadda nad ydyn nhw'n berffaith. O'n i'n arfer
meddwl bod Aminah yn berffaith, ond does 'na neb yn
hollol berffaith, nag oes? Ddim hyd yn oed fi!

Hei! Wsnos i fory ma hi'n ddydd San Ffolant! Ella
medra i sgwennu cerdd 'deimladwy, gofiadwy' arall i'r
hogan amherffaith berffeithia yn y byd...

pen dafad

Bach y Nyth
Nia Jones 0 86243 700 8

Cawl Lloerig
Nia Royles (gol.) 0 86243 702 4

Ceri Grafu
Bethan Gwanas 0 86243 692 3

Gwerth y Byd
Mari Rhian Owen 0 86243 703 2

Iawn Boi? ;-)
Caryl Lewis 0 86243 699 0

Jibar
Bedwyr Rees 0 86243 691 5

Mewn Limbo
Gwyneth Glyn 0 86243 693 1

Noson Boring i Mewn
Alun Jones (gol.) 0 86243 701 6

Sbinia
Bedwyr Rees 0 86243 715 6

Llyfr Athrawon Pen Dafad (Llyfr 1)
Meinir Ebsworth 086243 803 9

Sgwbidŵ Aur
Caryl Lewis 086243 787 3

carirhys@hotmail.com
Mari Stevens 086243 788 1

Ça va, Safana
Cathryn Gwynn 086243 789 x

Pen Dafad
Bethan Gwanas 086243 806 3

Aminah a Minna
Gwyneth Glyn 086243 742 3

Uffar o Gosb
Sonia Edwards 086243 834 9

isho bet?
Bedwyr Rees 086243 805 5

Noson Wefreiddiol i Mewn
Alun Jones (gol.) 086243 836 5

Llyfr Athrawon Pen Dafad (Llyfr 2)
Meinir Ebsworth 086243 804 7

Cyfres i'r arddegau
Ar gael o'r Lolfa: ylolfa@ylolfa.com neu o siop lyfrau leol